Ja! genau

Deutsch als Fremdsprache
Kurs- und Übungsbuch

Claudia Böschel
Dagmar Giersberg
Sara Hägi

A2
Band 1

Cornelsen

Ja genau! A2/1
Deutsch als Fremdsprache

Im Auftrag des Verlages erarbeitet von:
Claudia Böschel, Dagmar Giersberg und Sara Hägi

In Zusammenarbeit mit der Redaktion: Andrea Finster (verantwortliche Redakteurin), Imke Schmidt

Redaktionelle Mitarbeit: Kerstin Reisz
Bildredaktion: Nicola Späth
Projektleitung: Gunther Weimann

Beratende Mitwirkung: Eva Enzelberger, Bernhard Falch, Christina Lang, Barbara Laue,
Ester Leibnitz, Sabine Roth, Lidia Wanat

Illustrationen: Joachim Gottwald
Layoutkonzept und technische Umsetzung: zweiband.media, Berlin
Umschlaggestaltung: Rosendahl Grafikdesign

Weitere Kursmaterialien:
Audio-CD für den Kursraum ISBN 978-3-06-024168-2
Sprachtraining A2 + DaZ (ISBN 978-3-06-024164-4)
Sprachtraining A2 + DaF (ISBN 978-3-06-024163-2)
Handreichungen für den Unterricht ISBN 978-3-06-024173-6

www.cornelsen.de

1. Auflage, 4. Druck 2013

Alle Drucke dieser Auflage sind inhaltlich unverändert und können im Unterricht nebeneinander
verwendet werden.

Druck: Himmer AG, Augsburg

ISBN 978-3-06-024159-0

 Inhalt gedruckt auf säurefreiem Papier aus nachhaltiger Forstwirtschaft.

Die Autorinnen im Gespräch
Anstelle eines Vorworts

Ja genau?!

Ja, das Lehrwerk ist unsere Antwort auf die aktuellen Anforderungen an den DaF- oder DaZ-Unterricht, wie zum Beispiel ...

Oh ja, ich kenne sowohl die Praxis als auch die Curricula und weiß, wo es immer hakt. Die **heterogene Lernerschaft** und die zum Teil sehr schwierigen Rahmenbedingungen sind eine echte Herausforderung.

Ja genau. Auch wir kennen die Praxis mit all ihren Schwierigkeiten, aber auch Erfolgversprechendes. Und dazu gehören unserer Meinung nach **ganzheitliche Ansätze**, der **Fokus auf die Stärken der Lernenden**, also **ressourcenorientiertes Arbeiten** – und natürlich **Humor**. Und wir schätzen effektive **Automatisierungsübungen** und ...

Ich habe ja schon einiges beim ersten Durchsehen entdeckt: Manchmal muss man **vor- oder zurückblättern**, sodass bereits Behandeltes unter einem anderen Aspekt wieder aufgegriffen wird, Stichwort **Lernschleifen**. Es gibt viele Angebote zur Binnendifferenzierung, wie zum Beispiel den Übungstyp **Schon fertig?** und mit **Musik**, **Bewegung** und **Visualisierungen** werden alle Lerntypen angesprochen.

45

✓ **Schon fertig?**

Ja, ganz genau. Wichtig war uns außerdem, dem Lernenden Raum zu lassen, um **zu verweilen** und **sich einzubringen**. Wir wollen **neugierig machen** und **Interessen wecken** und vor allem ist uns wichtig ...

► Und wie geht es weiter?

Alt und Jung

Meinen Sie den Dosenöffner?

Ach, Sie kennen den?

Ja, den habe ich in der HRU (Anmerkung der Redaktion: **H**and**r**eichungen für den **U**nterricht) gefunden: Er weist auf ein Grundprinzip hin. Die Idee ist natürlich nicht neu, den Lernenden das Werkzeug an die Hand zu geben, damit sie **selbstständig im deutschsprachigen Raum zurechtkommen**. Aber der Öffner veranschaulicht das ganz nett.

Genial, dass Sie die HRU gelesen haben. Aber was wir eben sagen wollten: Vor allem ist uns wichtig, dass die Lernenden **genauer hinschauen** bzw. **hinhören** und dadurch immer wieder **Aha-Erlebnisse** haben.

Klar, deswegen ja auch der Titel. Mir ist übrigens dadurch erst bewusst geworden, wie oft ich eigentlich „Ja genau!" sage ...

Und wir erst! Jedenfalls hoffen wir auf viele Erkenntnisse – beim Deutschlernen und Deutschlehren. Wir freuen uns sehr auf den **Dialog** mit Lehrenden und Lernenden und wünschen viel Spaß und Erfolg mit *Ja genau!*

Ja genau!

- ein Lehrwerk für Erwachsene ohne Vorkenntnisse

- in sechs Bänden:
  Band 1 und 2 führen zur Niveaustufe A1, Band 3 und 4 zu A2,
  Band 5 und 6 zu B1 des Gemeinsamen europäischen Referenzrahmens

- Das Lehrwerk bereitet auf folgende Prüfungen vor:
  Goethe-Zertifikat A1: Start Deutsch 1; telc Deutsch A1; ÖSD A1
  Goethe-Zertifikat A2: Start Deutsch 2; telc Deutsch A2; ÖSD A2
  Goethe-Zertifikat B1: Zertifikat Deutsch; telc Deutsch B1; Deutsch-Test für Zuwanderer;
  Österreichisches Sprachdiplom Deutsch B1

- Jeder Band hat sieben Einheiten.

- Jede Einheit besteht aus zehn Seiten:
  zwei Einstiegsseiten, vier Präsentationsseiten, eine Projektseite, eine Extra-Seite mit fakultativem
  Zusatzmaterial, eine „Ich kann ...“-Seite als Zusammenfassung der Lerninhalte und eine Über-
  gangsseite „Und wie geht es weiter?“, die auf das kommende Thema einstimmt.

- Der Übungsteil ist ins Kursbuch integriert. Zu jeder Einheit gibt es fünf Seiten mit Übungen
  sowie eine Seite, die den Lernwortschatz präsentiert.

- In das Kurs- und Übungsbuch eingelegt ist eine Audio-CD für Lernende (mit allen Hörtexten
  des Übungsteils).

- Neben dem Kurs- und Übungsbuch gibt es noch: ein Trainingsheft, eine Audio-CD für Lehrende
  (Kursraum-CD) und die Handreichungen für den Unterricht.

Legende

Die Symbole und ihre Bedeutung

Hier gibt es etwas zu hören.
5   Wo? Zahl = Tracknummer der Kursraum-CD für Lehrende.
Nur die Tracknummern im Übungsbuchteil beziehen sich auf die im Buch eingelegte CD.

Hier arbeiten Sie zu zweit.

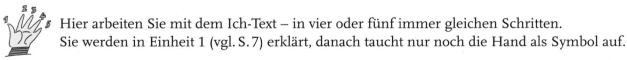

Hier arbeiten Sie mit dem Ich-Text – in vier oder fünf immer gleichen Schritten.
Sie werden in Einheit 1 (vgl. S. 7) erklärt, danach taucht nur noch die Hand als Symbol auf.

7   Hier müssen Sie vor- oder zurückblättern. Wohin? Die Seitenzahl ist angegeben.

Was!? Schon fertig? Hier finden Sie weitere Aufgaben.

Hier werden Sie aufgefordert, das Erlernte in der Welt draußen auszuprobieren. Wenn Sie nicht in
D A CH lernen, nutzen Sie das Internet oder probieren Sie die Aufgabe im Kursraum aus.

Hier finden Sie zusätzliche Übungen, wenn Sie etwas vertiefen wollen.

Inhalt

Flexibel und mobil

1
- über Arbeitswege und -zeiten sprechen
- Arbeitsanweisungen verstehen und darauf reagieren ➤ Rollenspiel: im Praktikum

Grammatik: Nebensätze mit *dass* und *ob*; Adjektivdeklination (nach unbestimmtem Artikel)
Aussprache: Selbsteinschätzung

Übungen ➤ Seite 76   6

Wie die Zeit vergeht

2
- über seine Zeit sprechen ➤ Freude und Ärger ausdrücken ➤ Lernen an Stationen

Grammatik: Reflexivpronomen; Verben mit Präpositionen
Aussprache: das *z* [ts]

Übungen ➤ Seite 82   16

Generationen

3
- Lebensläufe beschreiben ➤ über das Alter, über die Kindheit sprechen
- Kindheit „geholgert"

Grammatik: Nebensätze mit *als* (temporal); Modalverben im Präteritum
Aussprache: Vokale und Silben (im Satz)

Übungen ➤ Seite 88   26

Mein Zuhause

4
- über die Wohnungseinrichtung und über das Renovieren sprechen ➤ einen Brief schreiben ➤ einen Umzug organisieren

Grammatik: Wechselpräpositionen und *stehen – liegen – sitzen* vs. *stellen – legen – setzen*
Aussprache: das *s*: [z] und [s]

Übungen ➤ Seite 94   36

Rund ums Geld

5
- über Geld sprechen ➤ eine Überweisung machen ➤ ein Konto eröffnen ➤ am Kontoserviceautomaten ➤ *Warum-weil*-Kette

Grammatik: Nebensätze mit *weil*; Adjektivdeklination (nach dem bestimmten Artikel)
Aussprache: das silbische *n*

Übungen ➤ Seite 100   46

Miteinander leben

6
- über das Zusammenleben sprechen
- das Ankommen beschreiben ➤ etwas vergleichen ➤ ein Tauschring im Kurs

Grammatik: der Komparativ; Verben mit Dativergänzung; Personalpronomen im Dativ; Sätze mit Dativ- und Akkusativergänzung Aussprache: *r* im Auslaut nach *i, ie* und *ih*

Übungen ➤ Seite 106   56

Sport

7
- über Sport und Fans sprechen
- einen Unfall melden ➤ Rekorde im Kurs

Grammatik: Nebensätze mit *wenn*; der Superlativ
Aussprache: Satzzeichen hören

Übungen ➤ Seite 112   66

Anhang

➤ Werkstatt 118 ➤ Partnerseiten 125 ➤ Grammatik kompakt 127 ➤ Hörtexte 134 ➤ alphabetische Wörterliste 147 ➤ Liste der unregelmäßigen Verben 154 ➤ Verben mit Präpositionen 156
➤ Karte D A CH 157

118

Flexibel und mobil

Hamburger Hauptbahnhof, 7:00 Uhr

Pendeln

1 Wohin gehen die Menschen? Sammeln Sie Ideen im Kurs.

2 Welche Wörter zum Thema „Arbeit" kennen Sie? Ergänzen Sie das Wörternetz.

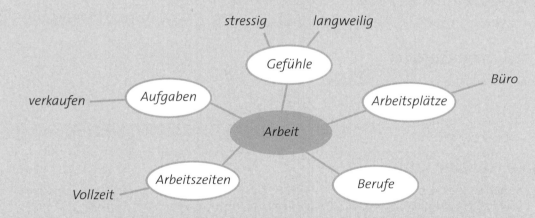

stressig   langweilig

Gefühle

Büro

verkaufen — Aufgaben   Arbeitsplätze

Arbeit

Arbeitszeiten   Berufe

Vollzeit

3 Was erzählt Max Giebel seiner Frau? Hören Sie und kreuzen Sie an.

1. ☐   Er hat den Job, aber er muss schon morgen anfangen.

2. ☐   Er hat den Job und er findet ihn gut.

3. ☐   Er hat den Job, aber er muss noch mal mit dem Chef sprechen.

4 Ein Pendler
a) Was meinen Sie, was steht im Text auf Seite 7? Lesen Sie nur die Überschriften.
Sammeln Sie Ideen im Kurs.

b) Das ist neu. Unterstreichen Sie diese Wörter im Text und klären Sie sie im Kurs.
Pendeln • ein junger Konditor • die Arbeitslosenquote • ein fester Arbeitsplatz •
ohne Erfolg • keine andere Wahl haben • unbefristet

über Arbeitswege und Arbeitszeiten sprechen ► Arbeitsanweisungen verstehen und darauf reagieren ► Nebensätze mit *dass* und *ob* ► Adjektivdeklination (nach unbestimmtem Artikel) ► Selbsteinschätzung Aussprache

1

Jedes Wochenende 600 Kilometer auf der Autobahn
Pendeln für einen Arbeitsplatz

Jedes Wochenende sieht man sie auf Bahnhöfen und Autobahnen: die Pendler. Sie fahren zur Arbeit – am Sonntagabend hin und am Freitagabend zurück. Auch
5 *Max Giebel, ein junger Konditor aus Anklam (Mecklenburg-Vorpommern), pendelt seit einem Monat.*

„Ich bin in Anklam geboren. Ich mag die Stadt sehr: Das Meer ist nah, die Land-
10 schaft ist wunderschön. Meine Frau und ich haben ein kleines Haus. Julia arbeitet in einem Supermarkt. Unsere Familien und Freunde leben hier. Wir sind hier glücklich.

Aber ich finde in Anklam keine Arbeit. In keiner deut-
15 schen Stadt ist die Arbeitslosenquote so hoch wie hier – über 30 Prozent. Ich habe ein Jahr lang einen festen Arbeitsplatz gesucht – ohne Erfolg.

Zuerst war das okay. Zu Hause gibt es ja auch viel Arbeit. Wir haben ein kleines Kind. Ich habe mit meiner Tochter
20 gespielt, eingekauft und gekocht, geputzt und gewaschen, im Garten gearbeitet, unsere Fahrräder repariert … Aber etwas hat gefehlt!

Dann habe ich im Internet eine interessante Stellenanzeige gesehen: für einen Job als Konditor, in einem schönen Café. 25 Aber das Café ist in Hamburg!

Meine Frau und ich haben lange geredet. Wir haben auch unsere Freunde gefragt. Gregor pendelt seit einem Jahr von Anklam nach Berlin. Er ist zufrie- 30 den. Seine Arbeit ist gut bezahlt. Für seine Frau Sabine ist es manchmal schwierig. Aber sie haben keine andere Wahl.

Dann habe ich mich in Hamburg beworben – und ich habe die Stelle bekommen. Vollzeit, unbefristet. Ich 35 pendle jetzt seit einem Monat.

Die Fahrt mit dem Auto ist anstrengend. Ich fahre jedes Wochenende 600 Kilometer. Die Autobahn ist oft voll. Ich habe eine kleine Wohnung in Hamburg und ich sehe meine Familie nur am Wochenende. Das ist nicht ein- 40 fach. Wir telefonieren oft. Ich vermisse sie sehr. Aber wir brauchen das Geld und die Arbeit macht Spaß!"

5 Vier Schritte. Arbeiten Sie mit dem Text.

Beispiele
1. Schritt: Ich-Erzähler ► Er-Erzähler (Zeile 8–22)
   Ich bin in Anklam geboren. ► *Er ist in Anklam geboren.*
2. Schritt: Rückblick (Zeile 37–42)
   Die Fahrt mit dem Auto ist anstrengend. Ich fahre jedes Wochenende 600 Kilometer. ► *Die Fahrt mit dem Auto war anstrengend. Ich
   bin jedes Wochenende 600 Kilometer gefahren.*
4. Schritt: Schreiben Sie eine W-Frage und stellen Sie sie im Kurs.
   ► *Wo wohnt Max Giebel? Was ist Max Giebel von Beruf?*
5. Schritt: Interview. Finden Sie zu jedem Textabschnitt eine Frage.
   ► *Herr Giebel, wohnen Sie gern in Anklam?*

1. *Ich-Erzähler ► Er-Erzähler (Zeile 8–22)*
2. *Rückblick (Zeile 37–42)*
4. *Schreiben Sie eine W-Frage und stellen Sie sie im Kurs.*
5. *Interview. Finden Sie zu jedem Textabschnitt eine Frage.*

✔ **Schon fertig?**
Wählen Sie eine Person vom Foto aus Aufgabe 1 aus.
Beschreiben Sie die Person.
Name, Alter, Familie, Beruf, Alltag, Hobbys, Träume …

6 Wie sind oder waren Ihre
Wege zur Arbeit? Fragen und
antworten Sie im Kurs.

Wohin fährst du?

Wie lange brauchst du?

Normalerweise brauche ich eine Stunde.

Kind und Beruf

7 Wählen Sie zu zweit ein Bild aus. Beschreiben Sie es: Was sehen Sie?
Welche Wörter passen dazu?

der Hort • ein allein-
erziehender Vater • eine
alleinerziehende Mutter •
die Betreuungszeiten •
Job oder Kind? • der Kindergarten • das Baby

8 Was ist das Problem von Sabine Weiß? Lesen Sie den Text.
Verbinden Sie die Sätze.

Ich arbeite halbtags. Ich möchte gern Vollzeit arbeiten. Das geht aber
nicht. Meine Kinder sind jetzt vier und sieben Jahre alt. Lina geht in
den Kindergarten. Sara ist vormittags in der Schule und nachmittags
im Hort. Ich muss beide Kinder um halb fünf abholen. Mein Mann
Gregor pendelt. Er ist in der Woche nicht zu Hause, dann bin ich
alleinerziehend.
Freitags schließt der Kindergarten sehr früh. Dann muss ich Lina
schon um halb drei abholen. Aber ich kann nicht immer pünktlich
um zwei Uhr Schluss machen. Das heißt: Ich habe freitags immer
Stress.
Mit einer Vollzeitstelle geht das gar nicht. Die Kinder können ja nicht
allein bleiben. Ich kann also nur Teilzeit arbeiten. Das heißt aber,
ich bekomme viel weniger Geld. Gibt es einen anderen Kindergarten
in der Nähe? Kann Lina den Kindergarten wechseln?

1. Sabine Weiß möchte gern	a) ihre Kinder um 16:30 Uhr abholen.
2. Sie muss	b) die Kinder nicht abholen.
3. Sie kann	c) nicht jeden Tag pünktlich nach Hause gehen.
4. Ihr Mann kann	d) Vollzeit arbeiten.

9 Wer oder was kann Sabine Weiß helfen? Haben Sie Tipps?
Sammeln Sie Ideen im Kurs.

Vielleicht kann eine Nachbarin helfen?

Sie kann zu Hause bleiben.

Sie kann einen Babysitter suchen.

10 Sabine Weiß ist Sekretärin. Beschreiben Sie einen typischen Freitag von Sabine.

aufstehen • in den Kindergarten bringen • ins Büro fahren • arbeiten • die Kinder abholen • einkaufen

11 Was sagt Sabine Weiß? Schreiben Sie sechs Sätze aus dem Text in Aufgabe 8 wie in den Beispielen.

Nebensätze mit *dass*

Sie sagt, dass sie halbtags ⟨arbeitet.⟩

Sie sagt, dass sie gern Vollzeit **arbeiten** ⟨möchte.⟩

Sie sagt, dass das aber nicht ⟨...⟩

Sie/Er sagt/erzählt, dass ...

12 Was fragt Sabine Weiß? Unterstreichen Sie die Fragen im Text in Aufgabe 8.

Nebensätze mit *ob* bei Ja-/Nein-Fragen

„Gibt es einen anderen Kindergarten?"
Sie fragt, ob es einen anderen Kindergarten ⟨gibt.⟩

„Kann Lina den Kindergarten wechseln?"
Sie fragt, ob Lina den Kindergarten **wechseln** ⟨kann.⟩

Sie/Er fragt, ob ...
Bei Ja-/Nein-Fragen beginnt der Nebensatz mit ob.

13 Sabine Weiß sucht einen neuen Kindergarten. Schreiben Sie Sätze wie im Beispiel.

Ist der Kindergarten bis 17:30 Uhr geöffnet?

Frau Weiß fragt, ob der Kindergarten bis 17:30 Uhr geöffnet ist.

1. Ist der Kindergarten am Freitag länger als bis 16 Uhr geöffnet?
2. Sind die Abholzeiten flexibel?
3. Ist der Kindergarten auch in den Schulferien geöffnet?
4. Ist der Kindergarten mehr als 20 Tage im Jahr geschlossen?

14 Lesen Sie noch einmal den Text über Max Giebel in Aufgabe 4 und machen Sie jetzt Schritt 3 der Hand.

3. *Schritt: Nacherzählung mit* **dass** *(Zeilen 26–30)*
   ➤ *Max sagt, dass seine Frau und er lange geredet haben.*

Kind und Beruf in Ⓓ Ⓐ ⒸⒽ

45 Prozent der Eltern mit Kindern unter sechs Jahren arbeiten in der Schweiz nach dem Modell: „Mann Vollzeit, Frau Teilzeit". In Österreich sind es 38 Prozent, in Deutschland 31 Prozent.

Der Arbeitstag

15 Wer spricht? Hören Sie den Dialog und kreuzen Sie an.

◎ 3

☐ Max Giebel und ein Freund ☐ zwei Kollegen von Max Giebel

16 Wie ist was? Lesen Sie den Dialog. Fragen und antworten Sie im Kurs.

‹ Hallo, wie geht's?

▐ Ganz gut, aber ich hatte einen langen Tag. So ein neuer Job ist ganz schön anstrengend.

‹ Wie ist denn dein neuer Job?

▐ Die Arbeit macht Spaß. Ich arbeite in einem großen Café. Es ist ein schönes Café in einem alten Hotel.

‹ Und wie ist der Chef? Und die Kollegen?

▐ Ich habe eine nette Chefin und ich arbeite mit einem lustigen Kollegen zusammen.

‹ Wo wohnst du in Hamburg?

▐ Zum Glück habe ich eine billige Wohnung gefunden. Sie liegt in einer ruhigen Straße.

‹ Und wie ist das Pendeln? Wie lange fährst du?

▐ Normalerweise brauche ich vier Stunden. Am letzten Freitag war Stau, da habe ich sechs Stunden gebraucht. Das war eine lange Fahrt. Na ja, ich brauche vielleicht bald ein neues Auto. Aber erzähl mal, wie geht's dir, Gregor?

> Wie ist die Chefin?

> Die Chefin ist nett.

> Wie war der Tag?

> Der Tag war ...

17 Unterstreichen Sie im Dialog von Aufgabe 16 alle Wortverbindungen mit Adjektiv. Ergänzen Sie dann die Tabelle.

	der: ▨	das: ✕	die: ✿
Nominativ	So ein _____ Job ist ...	Es ist ein _____ Café.	Das war eine _____ Fahrt.
Akkusativ	Ich hatte einen _____ Tag.	Ich brauche ein _____ Auto.	Ich habe eine _____ Chefin.
Dativ	Ich arbeite mit einem _____ Kollegen.	Das Café ist in einem _____ Hotel.	Die Wohnung liegt in einer _____ Straße.

die (Pl.)		
	Nominativ	**Nett**e Kollegen sind wichtig.
	Akkusativ	Ich habe sehr **nett**e Kollegen.
	Dativ	Ich arbeite mit **nett**en Kollegen.

Adjektive beschreiben, wie etwas ist.
zum Beispiel: schön, nett ...

Chefin • Tag • Café • Hotel • Kollege • Fahrt • Auto • Wohnung

einen anstrengenden Tag

Adjektive nach unbestimmten Artikel

▨ (der Kollege) ein Kollege
➤ ein netter Kollege

✕ (das Büro) ein Büro
➤ ein großes Büro

✿ (die Arbeit) eine Arbeit
➤ eine gute Arbeit

🌻 *Tipp*

Adjektive mit Artikel im Dativ haben immer die Endung -en.

18 Was sagt Max Giebel über sein Leben in Hamburg?
a) Schreiben Sie Sätze.

	oft jetzt in Hamburg freitags und sonntags manchmal	einen neuen Job. einen langen Arbeitstag. einen anstrengenden Tag. einen lustigen Kollegen. eine lange Fahrt. eine ruhige und billige Wohnung.
Max Giebel hat Er hat		

b) Und Sie? Schreiben Sie einen kurzen Text.

Ich habe (k)einen neuen Job.

kein und dein funktionieren wie ein

19 Was trägt Max Giebel bei der Arbeit, was trägt er zu Hause?
Schreiben Sie Sätze wie im Beispiel.

Max Giebel trägt bei der Arbeit eine weiße Mütze, ...
Max Giebel trägt zu Hause ...

20 Wer ist das? Beschreiben Sie eine Person im Kursraum.
Die anderen raten.

Er/Sie trägt einen blauen Pullover und eine schwarze Hose ...

Das ist ...

21 Max Giebel telefoniert mit seiner Frau.
a) Hören Sie die Sätze und lesen Sie leise mit.

A „Heute ist es hier in Hamburg herrlich!" ☐

B „Es war ein langer, anstrengender Tag und ich
bekomme langsam Hunger." ☐

C „Ich habe heute früh einen wirklich guten
Pfirsichkuchen gemacht." ☐

D „Wo bist du? Ich möchte dich gern sehen,
ich vermisse dich sehr." ☐

b) Welche Sätze sind für Sie leicht, welche sind schwierig?
Nummerieren Sie die Sätze von 1 bis 4 (1 = leicht, 4 = schwierig).

c) Üben Sie Ihren Satz mit der Nummer 4 jeden Tag dreimal.

✔ **Schon fertig?**
Lesen Sie den Text zu Aufgabe 4 noch einmal. Notieren Sie alle Wortverbindungen mit Adjektiv wie im Beispiel.

ein junger Konditor, ein kleines ...

Alle zusammen

22 Rollenspiel: ein Praktikum im Büro.
a) Was sagt der/die Chef/in? Schreiben Sie je einen Satz auf eine blaue Karte.

Kaffee kochen • etwas aufschreiben • einen Termin machen • einen Brief kopieren • Informationen suchen • den Computer einschalten • den Drucker reparieren • das Fenster zumachen • das Formular ausfüllen • die Papiere ordnen • den Brief/die E-Mail beantworten • das Dokument ausdrucken • Briefmarken kaufen • die Telefonnummer notieren • die Veranstaltung organisieren • ...

> Kochen Sie bitte Kaffee!

> Schreiben Sie das bitte auf!

> Oh, tut mir leid. Der Computer ist kaputt.

> Das geht leider nicht. Das ist zu anstrengend.

b) Was antwortet der/die Angestellte?
Schreiben Sie je einen Satz auf eine gelbe Karte.

anstrengend • chaotisch • kein Geld • falsch • keine Informationen • kaputt • keine Zeit • krank • müde • warm • schwierig • unpraktisch • ...

c) Mischen Sie die gelben Karten. Mischen Sie die blauen Karten. Jede/r zieht eine gelbe und eine blaue Karte.

d) Lesen Sie, was auf Ihren Karten steht und spielen Sie Chef/in und Angestellte/r.

23 Was kann ich zum Chef/zur Chefin sagen? Was nicht? Sprechen Sie im Kurs.

> Man kann nicht sagen, dass ...

> Aber man kann sagen, dass ...

> Das finde ich okay.

> Nein, das geht nicht.

Mein Deutsch

Wunderschöner Mann

Ich verwechsle oft „wunderschön" und „wunderbar". Das ist peinlich.
Ich sage: „Was für ein wunderschöner Künstler!", obwohl ich jemanden für seine Kunst bewundere.

NANA MOUSKOURI, 74, Griechenland

aus: SZ Magazin, Nummer 30, 24.07.2009

Gefunden

Ich gebe bei der Arbeit immer 100%.

Montag	3 %
Dienstag	28 %
Mittwoch	47 %
Donnerstag	15 %
Freitag	7 %

Erfolgsgeschichte

1997 hat Senay Cilek in Berlin-Kreuzberg ein Feinkostgeschäft aufgemacht. Es heißt „Knofi" und man kann dort viele leckere Dinge kaufen: exotisches Obst, getrocknete Tomaten und Auberginen, verschiedene Oliven, türkische Salate und vieles mehr. Die Rezepte sind ein Familiengeheimnis. In dem Geschäft riecht es wunderbar, ein Besuch ist wie ein kleiner Urlaub im Süden. „Knofi" ist sehr erfolgreich und steht sogar in japanischen und amerikanischen Reiseführern. Heute gibt es schon drei „Knofi"-Geschäfte in Berlin.
Die Chefinnen sind Senays Schwestern Yildiz und Zeynep.

www.knofi.de

Zahlen

emotionale Bindung

Wie viele Menschen mögen wo ihren Arbeitsplatz sehr/gar nicht?

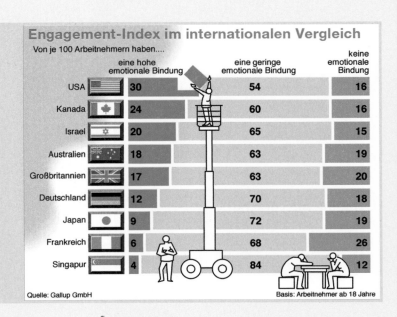

Engagement-Index im internationalen Vergleich

Von je 100 Arbeitnehmern haben....

	eine hohe emotionale Bindung	eine geringe emotionale Bindung	keine emotionale Bindung
USA	30	54	16
Kanada	24	60	16
Israel	20	65	15
Australien	18	63	19
Großbritannien	17	63	20
Deutschland	12	70	18
Japan	9	72	19
Frankreich	6	68	26
Singapur	4	84	12

Quelle: Gallup GmbH

Basis: Arbeitnehmer ab 18 Jahre

Ich kann ...

über Arbeitswege sprechen

Ich muss pendeln. Ich fahre jedes Wochenende 600 Kilometer mit dem Auto.
Ich brauche normalerweise vier Stunden. Manchmal ist Stau, dann brauche ich sechs Stunden.
Ich sehe meine Familie nur am Wochenende.

über Arbeit sprechen

Ich möchte Vollzeit/Teilzeit arbeiten. / Ich arbeite halbtags.
Ich muss um neun Uhr anfangen./Ich kann nicht immer um 16 Uhr Schluss machen.
Ich habe nette Kollegen/lange Arbeitstage/einen schönen Arbeitsplatz ...

Arbeitsanweisungen verstehen und reagieren

Kochen Sie bitte Kaffee!	Ja gern.
Schreiben Sie das bitte auf!	Tut mir leid, ich habe jetzt keine Zeit.
Könnten Sie bitte den Computer einschalten?	Das geht nicht, der Computer ist kaputt.
Könnten Sie das bitte kopieren?	

Ich kenne ...

Nebensätze mit *dass* und *ob*

Max: „Die Arbeit macht Spaß."	Max sagt, dass die Arbeit Spaß macht.
Georg: „Sind die Kollegen nett?"	Georg fragt, ob die Kollegen nett sind.

Adjektive nach unbestimmtem Artikel

	der /////	das ✕	die ✿	die (Pl.)
Nominativ Oh, ...	ein neuer Computer.	ein neues Telefon.	eine neue Kollegin.	neue Kollegen.
Akkusativ Ich habe ...	einen neuen Computer.	ein neues Telefon.	eine neue Kollegin.	neue Kollegen.
Dativ Ich arbeite mit ...	einem neuen Computer.	einem neuen Telefon.	einer neuen Kollegin.	neuen Kollegen.

meine Aussprache

Dieser Satz ist für mich einfach:

Dieser Satz ist für mich schwer:

Die Zeit läuft ...

März danach **Samstag** morgens Sommer
abends Stunde um **acht** Uhr November
Tag kurz **nach** zwölf Winter von 10:00
bis 15:00 Uhr **dann** nachts Montag
Sonntag halb sieben **Donnerstag**
viertel vor **neun** Juni Sekunde
Oktober Minute vormittags
Wie spät ist es?
Juli **mittags**
nie
Frühling
halb
eins Oft
Februar
manchmal Mittwoch
selten September August
immer früher Dienstag letztes
Jahr gestern vorgestern heute Mai
Monat **morgen** Herbst bald später Jahr
häufig Januar Woche täglich **sofort**
April **nachmittags** Wochenende plötzlich
Dezember jetzt einmal Freitag zuerst

Bilden Sie Gruppen und ordnen Sie die Wörter zu.

Monate	Jahreszeiten	Wochentage	Tageszeiten	Sonstiges
März	Sommer	Samstag	morgens	
November	Winter	Sonntag	abends	
			zwölf Uhr	
			Tag	
			kurz nach zwölf	

Wie die Zeit vergeht

Meine Zeit – meine Woche

1 **Wie die Zeit vergeht. Viermal eine Minute.**
a) Hören Sie und machen Sie mit. Sie brauchen einen Stift und Papier.

1. stehen und dirigieren
2. ruhig stehen

3. schreiben ohne Pause
4. die anderen im Kurs begrüßen

b) Welche Minute war für Sie sehr lang, welche war kurz? Vergleichen Sie im Kurs.

> *Die erste Minute war für mich sehr lang.*

> *Dirigieren: Das war für mich sehr kurz.*

> *Begrüßen: Das war für mich ...*

2 **Ihr Tag, Ihre Woche.**
a) Was machen Sie wie lange? Machen Sie Notizen.

mit den Kindern spielen ·
am Computer sitzen ·
Sport machen · ...

schlafen: 6 bis 8 Stunden pro Tag, duschen: ...

b) Sprechen Sie über Ihre Woche.

Ich schlafe jeden Tag ca. sieben Stunden. Und du?	Ich auch.
Ich gehe dreimal die Woche zum Sport.	Ich mache keinen Sport, aber ich ...
Ich spiele viel mit den Kindern.	Ich verbringe viel Zeit mit meinen
Ich koche jeden Tag vielleicht eine Stunde.	Freunden/meiner Familie.
In der Woche lese/putze/koche/... ich ... Minuten/Stunden.	
Wie viele Stunden siehst du fern?	Ca. ... Stunden.

über seine Zeit sprechen ▬ Freude und Ärger ausdrücken
Reflexivpronomen ▬ Verben mit Präposition: *sich freuen auf, sich ärgern über*
Fragen: *Worauf? – Worüber?* ▬ das z [ts]

2

3 **Was für ein Tag!**

a) Was meinen Sie, was steht im Text? Lesen Sie die Überschriften und sehen Sie das Foto an.
Sammeln Sie Ideen im Kurs.

b) Das ist neu. Unterstreichen Sie diese Wörter im Text und klären Sie sie im Kurs.

die Kinder wecken • hektisch • nichts passiert • der Computer-Fachmann •
eine Nachricht auf dem Anrufbeantworter • leer • aufräumen • wütend

---

Freitag, der 13. – Ein Tag wie jeder andere?

Man sagt, er bringt Unglück. Aber sind die Freitage an einem 13. wirklich so schlimm?
Unser Reporterteam hat fünf Anklamer und Anklamerinnen gefragt.

Sabine Weiß (41), *Sekretärin und Mutter*
„Gestern war ein schrecklicher Tag. Von morgens bis abends hatte ich nur Stress. Zuerst hat der Wecker nicht geklingelt. Er war kaputt. Ich bin um halb acht
5 aufgewacht. Viel zu spät! Ich bin sofort aufgestanden und habe die Kinder geweckt und Brote gemacht. Alles war sehr hektisch. Die Kinder haben sich schnell gewaschen und angezogen. Wir
10 haben uns sehr beeilt, aber Sara ist trotzdem zu spät zur Schule gekommen.
Um neun Uhr war ich dann im Büro. Ich habe den Computer angemacht,
15 und es ist nichts passiert. Gar nichts. Also habe ich den Computer-Fachmann angerufen, aber der ist erst nach zwei Stunden gekommen. Und ich hatte doch so viel Arbeit auf dem Schreibtisch.
20 Freitags muss ich Lina immer schon um 14:30 Uhr vom Kindergarten abholen. Also muss ich um zwei Schluss machen. Aber mein Chef war sauer. Ein Brief war noch nicht fertig. Ich bin erst um zwanzig nach zwei aus

dem Büro gekommen. Natürlich war ich zu spät im Kindergarten. Die Erzieherin war wütend und Lina hat ge- 25 weint. Zu Hause hatte ich eine Nachricht auf dem Anrufbeantworter: ‚Hallo, hier ist Monika. Ich freue mich auf Freitag. Ich komme um 19:30 Uhr! Liebe Grüße!'
Monika ist meine Freundin aus Mün- 30 chen. Sie will kommen und ich habe es vergessen! Die Wohnung war ein Chaos und der Kühlschrank leer. Ich habe schnell aufgeräumt. Dann bin ich mit Lina einkaufen gegangen. Sie hat nur geschrien. Ich habe Sara 35 aus dem Hort abgeholt und dann gekocht. Das Essen war genau um halb acht fertig – und ich auch. Ich habe eine Stunde auf Monika gewartet. Dann war ich sauer. Ich habe sie angerufen: „Wo bleibst du denn?" 40 Sie hat gelacht: „Sabine, ich komme doch erst nächsten Freitag, am 20."

Peter Müller (65), *Rentner*
„Das war vielleicht ein Tag! Das glauben Sie nicht. Ich bin …

---

4 Vier Schritte. Arbeiten Sie mit dem Text.

✓ **Schon fertig?**
Was macht Ihnen Stress? Schreiben Sie eine Liste.

5 **Ein falscher Termin im Kopf. Kennen Sie das?**
Erzählen Sie im Kurs.

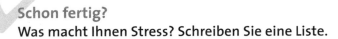

Oh ja. Einmal bin ich …

Ich habe … und dann …

1. *Ich-Erzählerin* ➡ *Sie-Erzählerin*
   (Zeile 13–22)
3. *Nacherzählung mit dass-Sätzen:* **Sie sagt, dass …**
   (Zeile 31–38)
4. *Schreiben Sie eine W-Frage und stellen Sie sie im Kurs.*
5. *Interview. Finden Sie zu jedem Textabschnitt eine Frage.*

Lange Tage – kurze Tage

6 Die Zeitumstellung.
a) Was mag Sabine nicht?
Schauen Sie die Fotos an
und hören Sie den Text.

b) Was steht im Text? Lesen Sie.
Fragen und antworten Sie im
Wechsel.

1. Was weiß Sabine jedes Jahr nicht?
2. Wann ändert sich die Uhrzeit?
3. Sabine freut sich auf ...?
4. Mit wem trifft sie sich dann?
5. Und was machen sie?
6. Wie sind die Tage im Winter?

Bald ist wieder Zeitumstellung und wie jedes Jahr weiß ich nicht, ob
ich die Uhr nun vor- oder zurückstellen muss. Zum Glück ändert
sich die Uhrzeit immer in einer Nacht von Samstag auf Sonntag. Da
ist das nicht so schlimm, denn ich muss nicht pünktlich aufstehen.
Aber ich freue mich immer sehr auf die Sommerzeit. Dann kann ich
mich nach der Arbeit noch mit Freunden treffen und es ist noch hell.
Wir machen Sport, grillen, sitzen lange auf der Terrasse und unterhalten uns. Auch abends um zehn ist es noch hell. Niemand will
nach Hause, alle haben gute Laune und fühlen sich einfach wohl.
Im Winter ist das anders, besonders nach der Zeitumstellung. Die
Tage sind so kurz. Man zieht sich morgens im Dunkeln an und
kommt abends im Dunkeln nach Hause. Meine Freunde und ich, wir
treffen uns nicht mehr so oft. Sie bleiben lieber zu Hause und ich
langweile mich oft.

7 Suchen Sie Verben mit Reflexivpronomen in Aufgabe 6 b).
Ergänzen Sie dann die Sätze.

> Einige Verben brauchen
> ein Reflexivpronomen:
> *sich freuen, sich unter-*
> *halten, sich langweilen ...*

Reflexivpronomen

Ich	freue	_____	auf den Sommer.
Du	langweilst	dich	oft.
Er/Sie/Es	ändert	_____	nie.
Wir	unterhalten	_____	lange.
Ihr	trefft	euch	heute Abend.
Sie	fühlen	sich	wohl.

8 Sprachschatten. Reagieren Sie wie im Beispiel.

Ich rasiere
mich.

Wie bitte, du
rasierst dich!?

> *sich freuen • sich lang-*
> *weilen • sich wohl fühlen •*
> *sich waschen • sich*
> *duschen • sich anziehen •*
> *sich ändern*

Claudia schminkt ihren Sohn.

Claudia schminkt sich.

9 Reflexiv oder nicht? Machen Sie eine Pantomime. Die anderen raten.

> **sich selbst oder andere:**
> *(sich) waschen, (sich) duschen,*
> *(sich) anziehen, (sich) kämmen,*
> *(sich) rasieren, (sich) schminken, ...*

> anziehen

> Er zieht
> sich an.

> Jetzt zieht er
> ein Kind an.

10 Wann machen Sie was?
a) Fragen und antworten Sie zu zweit. Machen Sie Notizen.

> *Wann wäschst du dich? Ich wasche mich um sieben Uhr.*
> *Wann ...*

b) Berichten Sie im Kurs.

> Armin wäscht
> sich um ....

> Leila und
> Karin ...

11 Was hören Sie? Kreuzen Sie an.

7

1. ☐ seit   ☐ Zeit   4. ☐ Zauber   ☐ sauber
2. ☐ so   ☐ Zoo   5. ☐ sieht   ☐ zieht
3. ☐ Zahl   ☐ Saal   6. ☐ selten   ☐ zelten

> *Das „z" spricht*
> *man im Deutschen*
> *wie „t + s".*

12 Arbeiten Sie zu zweit. A diktiert fünf Wörter aus Aufgabe 11,
B schreibt sie auf. Vergleichen Sie.

13 Wie finden Sie den Winter und wie den Sommer?

> Ich liebe Schnee,
> ich mag den
> Winter.

> Ich finde, dass
> die Tage im Winter
> zu kurz sind.

> Im Sommer
> ist es zu heiß.

14 Wie ist der Sommer/der Winter in Ihrer Heimat?

Ich freue mich auf ...

15 **Das Wochenende.**
a) Was machen die Eltern am Wochenende?
Hören Sie zu und machen Sie Notizen.

Gregor und Sabine

– *lange frühstücken und* _____

_____

_____

b) Lesen Sie den Text. Ergänzen Sie die Sätze.

„Die ganze Familie freut sich auf das Wochenende. Gregor und ich frühstücken lange und wir können endlich mal in Ruhe die Zeitung lesen. Wir teilen sie. Ich interessiere mich für Politik, Gregor liest lieber den Sportteil. Wir sitzen oft über zwei Stunden am Tisch, danach streiten wir uns über den Abwasch. Aber nur ein bisschen, am Ende machen wir ihn meistens zusammen. Die Kinder warten auf uns, denn sie freuen sich auf eine gemeinsame Aktion. Sie hoffen auf einen Ausflug oder ein Picknick. Aber wir ärgern uns oft über das Wetter. Haben Sie auch das Gefühl, dass es am Wochenende besonders oft regnet? Dann verabreden sich die Kinder mit Freunden und spielen dort. Das ist auch gut. Gregor und ich können uns dann in Ruhe über alles unterhalten: die Schule, die Arbeit, den Haushalt ...“

1. Die Familie freut sich auf *das Wochenende* .
2. Sabine interessiert sich für *Politik* .
3. Gregor und Sabine streiten sich über *den Abwasch* .
4. Die Kinder warten auf *die Eltern* und hoffen
   auf *einen Ausflug oder ein Picknick* .
5. Die Familie ärgert sich oft über *das Wetter* .
6. Bei Regen verabreden sich die Kinder mit *Freunden* .
7. Dann unterhalten sich Sabine und Gregor über *alles* .

So geht's:
auf, über, für + Akkusativ
mit + Dativ

sich interessieren für
sich verabreden mit
sich freuen auf
warten auf
sich freuen über
sich unterhalten über/mit
sich ärgern über
sich streiten mit/über

16 **Winter. Ergänzen Sie die Präpositionen.**

Tipp
Verben mit Präpositionen lernen

Es ist Winter.

Ich warte _____ Schnee.

Aber ich ärgere mich _____ die Kälte.

Ich unterhalte mich _____ dem Nachbarn.

Wir freuen uns _____ den Sommer.

Wir warten _____ die Sonne.

17 Hoffnungslos verliebt.
a) Verbinden Sie die Antworten.

1. Andy ...? Woran denkst du?
2. Worauf wartest du?
3. Und worüber ärgerst du dich so?
4. Worüber freust du dich jetzt?
5. Ist das alles, wofür du dich interessierst?

a) Auf einen Anruf von Ina.
b) An Samstag. Ich will mit Ina ins Kino.
c) Ja.
d) Über das Telefon. Es klingelt nicht.
e) Es klingelt. Das ist sicher Ina.

b) Worüber und worauf freuen Sie sich? Sammeln Sie.
Dann fragen und antworten Sie.

Worauf freust du dich?

Auf das Wochenende.

Worüber freust du dich?

Über meine gute Note im Test.

Auf den Besuch heute abend.

Fragen mit wo (r) + Präposition
sich freuen auf: Worauf ...?
sich freuen über: Worüber ...?
denken an: Woran ...?
sich interessieren für: Wofür ...?

Lina freut sich auf ihren Geburtstag.

18 Wie bitte? Hören Sie. Eine/r fragt nach, der/die Nächste antwortet wie im Beispiel.

Ich freue mich auf die Ferien.

Wie bitte? Worauf freust du dich?

Auf die Ferien.

Lina freut sich über ihr Geburtstagsgeschenk.

19 Interviews.
a) Sammeln Sie im Kurs Antworten.

Bald ist Wochenende. Worauf freust du dich?
Worüber ärgerst du dich zu Hause oft? Und im Kurs?
Woran denkst du beim Frühstück?
Mit wem triffst du dich jede Woche?
Worüber streitest du dich mit den Kindern/mit deinem Partner/ deiner Partnerin?

b) Berichten Sie.

Ivo ärgert sich über die Hausaufgaben.

Karim streitet sich mit den Kindern über Computerspiele.

Wie die Zeit vergeht

Alle zusammen

20 Lernen an Stationen.

Station 1:
a) Lesen Sie die Gedichte.

Ein Leben
geboren, geschrien, gespielt,
gewachsen, gelernt, geplant,
gearbeitet, gegeben, gelacht,
geheiratet, gestritten, geschieden,
gereist, geatmet, gelebt

Ein Sonntag
aufgewacht, gelegen, gelesen,
aufgestanden, angezogen, gejoggt,
geduscht, gesungen, gekämmt,
gefrühstückt, telefoniert, verabredet,
geputzt, gekocht, gegessen,
gefahren, angekommen, begrüßt,
gespielt, gelacht, geredet,
gefahren, angekommen, gegessen,
ferngesehen, gelangweilt, eingeschlafen,
gewaschen, geschlafen, geschnarcht

b) Schreiben Sie ein neues Gedicht – nur mit Partizipien.

Titelvorschläge: Ein Wochenende • Ein Montag • Eine Reise • Ein Einkauf • Eine Hochzeit

Station 2:
Wo ist die genaue Uhrzeit wichtig?
Sammeln Sie möglichst viele Ideen.

am Bahnhof, beim Arzt ...

Schon fertig?
Zwischenstation: Zu spät? Was sagt man dann?
a) **Wählen Sie: Welche Antwort gefällt Ihnen besonders gut?**

1. Oh, ich sehe jetzt erst: Meine Uhr ist kaputt.
2. Ich habe an dich gedacht. Dabei ist die Zeit so schnell vergangen.
3. Wie bitte, ich bin zu spät!? Du bist zu früh!
4. Es tut mir leid. Der Bus hatte zehn Minuten Verspätung.
5. Was, schon so spät? Ich bin eingeschlafen.
6. Schön, dich zu sehen.

b) **Wie schnell können Sie Ihre Lieblingsausrede sprechen? Üben Sie.**

Station 3:
Worüber haben Sie sich in dieser Woche gefreut? Worüber haben Sie sich in dieser Woche geärgert? Notieren Sie mindestens drei Dinge.

21 Präsentieren Sie Ihre Ergebnisse aus den Stationen.

– Hängen Sie Ihre Texte auf.
– Spielen Sie „zu spät kommen".
– Berichten Sie.

Zeitlos?

Wissenswertes

Woher kommt die Uhrzeit im Fernsehen oder auf dem Bahnhof? In Deutschland kommt sie aus Braunschweig. Dort stehen vier Atomuhren. Sie sind sehr genau. Sie gehen in 40 Millionen Jahren höchstens eine Sekunde falsch. Von Braunschweig schicken sie die Uhrzeit nach Mainflingen, das ist bei Frankfurt am Main. Dort steht ein großer Sender. Er schickt jede Sekunde ein Signal an alle Funkuhren. Und woher kommt die Uhrzeit in der Schweiz und in Österreich?

Bildquelle: PTB

Echt passiert

Ein Journalist des *National Geographic* möchte über die Hadza schreiben. Das ist eine Volksgruppe in Afrika. Eine Verabredung ist schwierig. Die Hadza haben keine Kalender und keine Uhren. Der Journalist kommt zum Treffpunkt, an einem Baum. Dort steht schon ein Hadza-Junge. Der Journalist fragt: „Hast du lange auf mich gewartet?" „Nein", antwortet der Junge, „nur ein paar Tage."

Was heißt das?

die Zeit totschlagen

Zeit ist Geld.

Die Zeit vergeht wie im Flug.

Es ist fünf vor zwölf.

Ich kann ...

über meine Zeit sprechen

Das war ein langer/kurzer Tag / eine lange Woche.
Wie viele Stunden pro Tag schläft/kochst/isst du?
Ich koche jeden Tag vielleicht eine Stunde. Ich schlafe jede Nacht sechs Stunden.
Das hat drei Stunden gedauert.
Ich stehe früh/spät auf. Ich habe zu wenig/zu viel/keine Zeit.
Ich verbringe viel Zeit mit meiner Familie.

Im Sommer sind die Abende warm. Es ist lange hell.
Alle haben gute Laune und man fühlt sich einfach wohl.
Im Winter sind die Tage kurz. Es ist früh dunkel.

Freude und Ärger ausdrücken

Ich freue mich auf das Wochenende. Dann kann ich ...
Gestern war ein schrecklicher Tag. Ich hatte nur Stress.
Ich ärgere mich über meinen Freund / über die Kinder. Wir streiten uns oft über Politik /
über Computerspiele. Das finde ich schrecklich. Ich war so wütend!

Ich kenne ...

Reflexivpronomen

Ich freue mich.   Wir treffen uns.
Du fühlst dich wohl.   Ihr unterhaltet euch.
Er/Sie/Es ruht sich aus.   Sie langweilen sich.

Reflexive Verben

sich ärgern (über), sich freuen (über/auf), sich langweilen, sich interessieren (für) ...

Verben mit Präposition

Ich freue mich schon auf meinen Geburtstag.
Denn: Ich freue mich immer über Geschenke.
Ich habe mich gestern über meinen Chef geärgert.
Auch heute ist er zu spät. Ich warte seit zwei Stunden auf ihn.

> **So geht's:**
> *auf, über, für + Akkusativ*
> *mit + Dativ*

Fragen: Worauf? Worüber?

Worauf freust du dich? – Auf morgen, auf das Wochenende, auf den Urlaub – auf vieles!
Worüber freust du dich? – Über das Wetter heute, über die Blumen, über dein Lachen.

das z [ts]

Zehn vor zwei. Wir sind zu spät: Zieh dich schnell an.

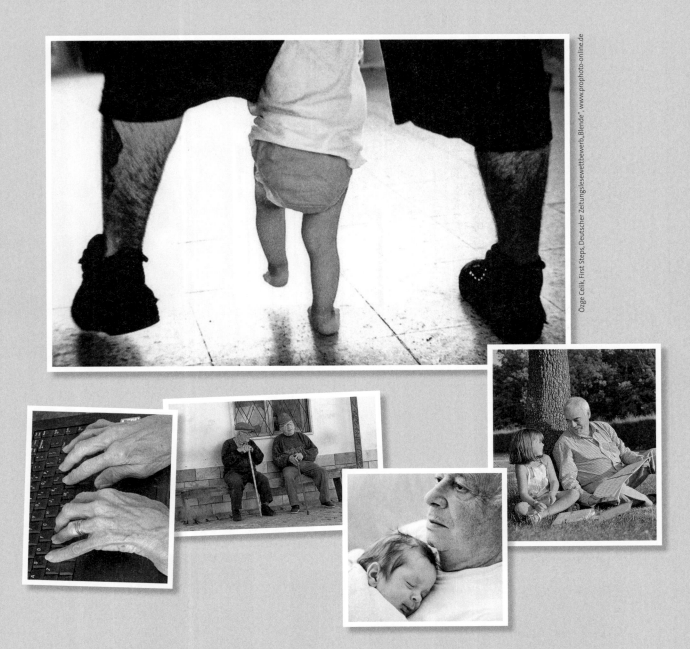

Alt und Jung

Wie viel Kontakt haben Sie täglich mit Alt und Jung?

Zur nächsten Stunde:
Machen Sie eine Collage über das Alter oder bringen Sie ein Foto von sich als Kind mit.

Generationen

Mein Leben

1 Ist das wahr? Füllen Sie den Zettel aus. Sie dürfen lügen. Die anderen glauben Ihnen oder nicht. Sammeln Sie Unterschriften. Danach berichten Sie.

	das glaube ich	das glaube ich nicht
a) Kindheitsträume bis heute:		
1. _____	....	....
2. _____	....	....
b) Diese Ziele habe ich erreicht:		
1. _____	....	....
2. _____	....	....
c) Meine Hobbys sind:		
1. _____	....	....
2. _____	....	....

> *Maria glaubt (nicht), dass ich von einer Weltreise geträumt habe.*

2 Welche Fragen zu Ihrem Leben mögen Sie, welche nicht? Schreiben Sie.

☹

Seit wann sind Sie schon hier?

☺

Welche Sprachen sprechen Sie?

3 Willi Meinold. Was glauben Sie, was für ein Mensch er ist? Was hat er gemacht?

A

B

C

E

D

F

> *Willi Meinold ist ein alter Mann.*

> *Er hat Fußball gespielt.*

> *Er sieht nett aus.*

➤ Lebensläufe beschreiben ➤ über das Alter, über die Kindheit sprechen
➤ Nebensätze mit *als* (temporal) ➤ Modalverben im Präteritum: *ich konnte,*
ich durfte nicht ➤ Vokale und Silben (im Satz)

3

4 „Unser Chor." Willi hat für das Mitgliedsbuch einen Text über sein Leben geschrieben.
Ordnen Sie die Fotos aus Aufgabe 3 zu.

Willi Meinold: „90 Jahre – na und?!"

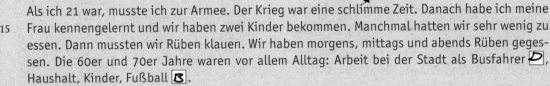

Ich bin schon 90 Jahre alt, aber ich hoffe, ich schaffe 100.
Als ich ein Baby war C , war Europa noch ein Dorf: kein Fernseher,
keine Waschmaschine, kein Auto. Heute gibt es das Internet. Man
sagt, ab 35 lernt man nicht mehr so gut. Aber ich lerne noch sehr
5 gern. Das Internet ist eine tolle Sache. Ich finde endlich alte Lied-
texte für meinen Chor. Seit 78 Jahren singe ich schon A .
Wir treffen uns jeden Dienstag und reisen oft zusammen durch
Deutschland. Ich bin nur selten zu Hause.
Das Leben ist schön – früher wie heute. Als ich ein Kind war,
10 musste ich oft zu Hause helfen. Aber ich hatte auch viel Spaß mit den anderen Jungs im Dorf.
Mit 14 Jahren habe ich von einem Fahrrad geträumt, aber wir hatten wenig Geld. Also habe ich
alte Fahrräder gesammelt und ein neues Fahrrad gebaut. Es war viel zu groß, aber ich war sehr
stolz. ➜ *proud*   *my bad*
Als ich 21 war, musste ich zur Armee. Der Krieg war eine schlimme Zeit. Danach habe ich meine
15 Frau kennengelernt und wir haben zwei Kinder bekommen. Manchmal hatten wir sehr wenig zu
essen. Dann mussten wir Rüben klauen. Wir haben morgens, mittags und abends Rüben gegessen. Die 60er und 70er Jahre waren vor allem Alltag: Arbeit bei der Stadt als Busfahrer D ,
Haushalt, Kinder, Fußball B .
Seit 1983 bin ich nun schon Rentner. Am Anfang sind meine Frau und ich sehr viel verreist. Wir
20 waren in Marokko, Tunesien, auf Zypern und Mallorca. Das war eine schöne Zeit F . Dann ist
meine liebe Hanni nach 67 Jahren Ehe leider gestorben. Das war hart.
Ich wohne heute bei meinem Sohn im Haus und genieße das Leben. Meine Beine sind nicht mehr
so gesund und ich brauche ein Hörgerät. Aber im Kopf fühle ich mich noch fit. Und ich habe
etwas sehr Kostbares: Zeit. Zeit für eine Tasse Kaffee, für einen Spaß im Seniorenclub, für meine
25 Urenkel E .

5 Vier Schritte. Arbeiten Sie mit dem Text.

✓ **Schon fertig?**
Beschreiben Sie das Leben von Willi.
Alter? Familienstand? Kinder? Beruf? Hobbys?

6 Und Ihr Leben? Sprechen Sie im Kurs.

Mit 9/12/15/20 habe ich ... / war ich ...
In der Schule... / In meiner Straße/Stadt ... / In meinem Dorf ...
In den 70er/80er/90er Jahren ...   Seit ... Jahren ...
Dann/Danach/Später ...   Früher ...

1. *Ich*-Erzähler ➤ *Er*-Erzähler
   (Zeile 2–14)
3. Nacherzählung mit *dass*-
   Sätzen: **Er sagt, dass ...**
   (Zeile 22–24)
4. Schreiben Sie eine W-Frage
   und stellen Sie sie im Kurs.
5. Interview. Finden Sie zu jedem
   Textabschnitt eine Frage.

Generationen

Als ich jung war ...

7 Als Willi jung war ... Lesen Sie die Aussagen und schreiben Sie Sätze wie im Beispiel.

Als ich ein Kind war, habe ich viel auf der Straße gespielt.

Als ich 14 Jahre alt war, hatte ich mein erstes Fahrrad.

Als ich jung war, musste ich viel arbeiten.

Ich war 17 Jahre alt, als ich zu Hause ausgezogen bin.

Ich war 26, als ich geheiratet habe.

Als Willi ein Kind war, hat er viel auf der Straße gespielt.

8 Satzstellung. Was ist Hauptsatz, was ist Nebensatz?

1. Als ich jung (war,)   musste ich viel arbeiten.
2. Ich musste viel arbeiten,   als ich jung (war.)
3. Als Willi 26 (war,)   hat er geheiratet.
4. Willi hat geheiratet,   als er 26 (war.)

> **So geht's:**
> Nebensätze mit **als** immer in der Vergangenheit.
> Der Nebensatz kann vor oder nach dem Hauptsatz stehen.
> Steht der Hauptsatz hinten, springt das Verb.

9 Sprachschatten. Arbeiten Sie zu zweit. Eine/r sagt den Satz, der/die andere fragt nach.

> Als ich zwölf war, sind wir umgezogen.

> Ihr seid umgezogen, als du zwölf warst?

Als ich ... war,   habe ich / haben wir / bin ich / sind wir   Abitur (D)[1] gemacht.
meine Ausbildung beendet.
geheiratet.
eine Tochter/einen Sohn bekommen.
umgezogen.
nach Deutschland/Österreich/ in die Schweiz gekommen.
...

1 die Matura (A, CH)

Raus mit der Sprache. Fragen Sie in der Pause drei Personen und berichten Sie dann.

Wo waren Sie mit 6/mit 22/mit 33 Jahren?
Als er/sie 22 war, war er/sie in Bonn.

10 Kindheitserinnerungen.
a) Lesen Sie und ordnen Sie die Fotos den Texten zu.

1. **D** Als ich ein Kind war, wollte ich so gern ans Meer fahren. Aber meine Eltern hatten nicht viel Geld. Erst als ich 27 war, bin ich das erste Mal geflogen. Das war ein großes Erlebnis. Ich konnte das Meer von oben sehen und war sehr aufgeregt.

2. **A** Die Schulzeit war früher anders als heute. Wir mussten eine Schuluniform tragen. Wir durften nicht einfach etwas erzählen oder in der Stunde aufstehen. Wir mussten immer still sitzen. Außerdem hatten wir auch samstags Schule.

3. **B** Als ich klein war, wollte ich mit den anderen Kindern spielen, aber ich musste zu Hause helfen und auf meine Geschwister auf-passen. Als ich elf Jahre alt war, konnte ich nicht mehr zur Schule gehen. Ich musste arbeiten gehen. Wir hatten nicht genug Geld für die Oberschule.

4. **C** Als ich ein Kind war, konnte ich immer auf der Straße spielen. Meine Kinder wollten auch draußen spielen, aber sie durften nicht allein auf die Straße gehen. Das war viel zu gefährlich. Und meine Enkelkinder spielen heute lieber am Computer.   _dangerous_

b) Die Modalverben im Präteritum. Markieren Sie sie in den Texten von a) und ergänzen Sie die Tabelle.

	wollen	können	dürfen	müssen
ich	wollte	konnte	durfte	musste
du	wolltest	konntest	durftest	musstest
er/sie/es	wollte	konnte	durfte	musste
wir	wollten	konnten	durften	mussten
ihr	wolltet	konntet	durftet	musstet
sie/Sie	wollten	konnten	durften	mussten

11 Und Ihre Kindheit? Zeigen Sie Ihre Fotos und beantworten Sie die Fragen.

> Ich wollte immer ...

1. Was war Ihr Traum?
2. Was mussten Sie in der Schule tun? Was durften Sie nicht?
3. Wie war es zu Hause? Wo und was haben Sie gespielt? Mit wem?

 25

12 Als ich vier war, konnte ich schon ... Spielen Sie im Kurs Angeben.

> Mein Sohn konnte schon sprechen, als er ein Jahr alt war.

> Als ich fünf war, konnte ich schon vier Fremdsprachen.

laufen • Fahrrad fahren • Auto fahren • schwimmen • lesen • schreiben ...

Generationen

Alt und Jung zusammen

13 Was ist ein Großelterndienst?
Was ist richtig? Lesen Sie den Prospekt und
kreuzen Sie an.

Ein Großelterndienst

1. baut Häuser für mehrere Generationen. ☐

2. verbindet Eltern, ihre Kinder und Leute ab 45. ☐

3. bietet Sport für Senioren an. ☐

14 Was glauben Sie, wer spricht?
Hören Sie.

10

15 Eine Radiosendung.
a) Wie lange ist Frau Bräuer schon beim Großelterndienst? Hören Sie zu und notieren Sie die Antwort.

11

b) Hören Sie noch einmal und kreuzen Sie an.
Korrigieren Sie die falschen Aussagen.

	richtig	falsch
1. Frau Bräuer musste lange eine Familie suchen.	☐	☐
2. Sie hat sich gleich in Paul verliebt.	☐	☐
3. Sie holt Paul jeden Mittwoch von der Schule ab.	☐	☐
4. Paul schläft aber nie bei seiner Leihoma.	☐	☐
5. Sie gehen oft auf den Spielplatz.	☐	☐
6. Frau Bräuer spricht nie über den Großelterndienst.	☐	☐
7. Frau Bräuer hat auch zwei eigene Enkel.	☐	☐

Raus mit der Sprache: Sie möchten auch bei einem Großelterndienst
mitmachen. Recherchieren Sie im Internet und schreiben Sie eine
Mail. Lesen Sie sie im Kurs vor.

**Der Kindergarten ist zu?
Ihr Kind ist krank?
Wir helfen!**

GROSSELTERNDIENST
ENKEL DICH FIT

Der Großelterndienst vermittelt aktive
Menschen zwischen 45 und 69 als „Wunschoma" bzw. „Wunschgroßeltern" an Alleinerziehende. Ein- bis zweimal pro Woche sind
die Helfer mit ihren Wunschenkeln zusammen. So unterstützen sie die Mütter und
Väter und sie fühlen sich gebraucht und
bleiben jung. In unserer Stadt gibt es viele
interessierte Familien und deshalb freuen
wir uns immer über neue Großeltern.
Kontakt: grosselterndienst@info.de;
Tel.: 0351 66 58 09

*Ansprechpartner für das Projekt sind Sibille Meyer und
Monika Hoffmann.
Bürozeiten: Montag und Freitag zwischen 8 und 12 Uhr.*

16 Was erzählt Paul mit 20? Lesen Sie den Text und schreiben Sie wie im Beispiel.

Das erzählt Frau Bräuer jetzt (Paul ist sechs):
„Jeden Montag hole ich Paul aus der Schule ab und wir haben unseren gemeinsamen Nachmittag. Manchmal schläft er auch bei mir. Und natürlich komme ich auch immer zu seinen Geburtstagen. Wir backen, spielen auf dem Spielplatz oder lesen zusammen Geschichten.
Wir verbringen viel Zeit zusammen und er ist für mich wie ein richtiger Enkel.

Das erzählt Paul in 14 Jahren (Paul ist 20):

> *„Als ich klein war, hat Oma Bräuer mich jeden Montag aus der Schule abgeholt und wir ..."*

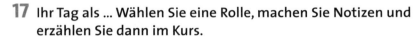

17 Ihr Tag als ... Wählen Sie eine Rolle, machen Sie Notizen und erzählen Sie dann im Kurs.

A Sie sind Vater oder Mutter und haben jetzt eine/n „Oma/Opa" für Ihr Kind.
Heute haben Sie Zeit für sich. Was machen Sie?

> *Ich gehe endlich zum Frisör / zum Sport / ... Ich mache nichts!*

B Sie sind Oma/Opa und planen den Tag mit „Ihrem" Enkelkind.

> *Wir gehen in den Zoo. Wir backen Pizza.*

◎ **18** Aussprache: Vokale und Silben.
12
a) Lang _ oder kurz ˌ? Hören Sie die Wörter und setzen Sie die Zeichen.

aber • Antwort • ein • Europa • Frau • fühlen • habe • hat • hoffen • jung • Mittwoch • musste • neunzig • nie • oft • Paul • sagt • schläft • Schule • sich • gleich • verliebt • sehr • selten • fünf • zwölf • schön

b) Silben im Satz. Welcher andere Satz aus Aufgabe 15 b) passt?

Sie___ ge_ hen___ oft___ auf___ den___ Spiel platz.

___ ___ ___ ___ ___ ___ ___

___ ___ ___

🌻 *Tipp*
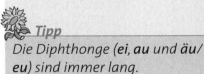
Die Diphthonge (ei, au und äu/ eu) sind immer lang.

Alle zusammen

19 Alter und Sprache. Sätze können alt oder jung machen.
a) Trennen Sie die Sätze in der Wörterschlange und ordnen Sie sie in die Tabelle.

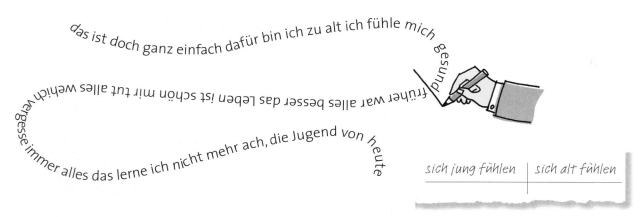

sich jung fühlen	sich alt fühlen

b) Ergänzen Sie eigene Sätze und machen Sie ein Plakat. 📖 25

20 Kindheit „geholgert".
a) Bilden Sie Gruppen (3–4).Schreiben Sie jeden Satz auf eine Karte.
Ziehen Sie eine Karte und ersetzen Sie „Holger".

1. Als ich ein Baby war, habe ich viel geholgert.
2. Als ich 4 war, bin/habe ich oft geholgert.
3. Als ich 5 war, konnte ich noch nicht holgern.
4. Als ich 6 war, musste ich holgern.
5. Als ich 10 war, bin/habe ich immer geholgert.
6. Als ich 14 war, habe/bin ich das erste Mal geholgert.
7. Als ich 16 war, durfte ich nie holgern.
8. Als ich 18 war, konnte ich schon holgern.
9. Als ich erwachsen war, durfte ich endlich holgern.
10. Als ich 24 war, wollte ich endlich holgern.

> Als ich 5 war, konnte ich
> noch nicht holgern.

> Als ich 5 war, konnte ich
> noch nicht ~~holgern~~.
> lesen

b) Mischen Sie alle Karten im Kurs. Fünf Leute ziehen eine Karte, stellen sich in einer Reihe auf und lesen die Sätze laut vor. Danach variieren Sie.

Wissenswertes

Wie wird man 100?

Die Menschen in Okinawa, Japan und auf
der Insel Sardinien in Italien werden oft über
100 Jahre alt. Was ist ihr Geheimnis? Oft
rauchen sie nicht und sie essen viel Obst,
Gemüse, Getreide oder Reis. Sie arbeiten,
machen gemeinsam Sport und feiern zusammen. Sie haben eine Lebensaufgabe bis ins
hohe Alter, denn sie kümmern sich um die
Enkel. Sie sind nicht allein und haben viel
Kontakt zu anderen Menschen.

100-jährige in Deutschland
heute: ~ 5000
Prognose für 2025: ~ 44 200
Prognose für 2050: ~ 114 700

Quelle: Statistisches Bundesamt

Fundstück

Was glauben Sie, wie alt sind die Frauen?

Filmtipp

YOUNG@HEART

Musik verbindet Menschen und ist gesund!
Bob Cilman hat 1982 den Young@Heart-
Chor gegründet. Das ist ein Chor für Menschen über 73 Jahre. Zuerst hat der Chor Lieder aus den 20er und 30er Jahren gesungen.
Heute singen sie Rock- und Popsongs – das
Publikum ist begeistert. Es gibt sogar einen
Film über diesen Chor. Hier können Sie ihn
kennenlernen:
http://www.youngatheartchorus.com

Mein Deutsch

Gell

Dieses Wort liebe ich! Wenn es alte Menschen sagen, voller Zärtlichkeit, voller
Zuneigung. Zum Beispiel eine alte Nachbarin. Sie erzählt mir etwas, sieht mich
an, nimmt meine Hand und sagt: „Gell?"

RAFIK SCHAMI, 62, Schriftsteller, Syrien

aus: SZ Magazin, Nummer 30/2009, 24.07.2009

Ich kann ...

Lebensläufe beschreiben

Mein Vater/Meine Mutter hat als Kind in einem Dorf gelebt.
Mit 21 Jahren musste mein Vater/ich zur Armee.
Danach hat er/sie / habe ich als Mechaniker/in / Koch/Köchin gearbeitet.
Er/Sie hat geheiratet, als er/sie 26 war.
Heute lebt er/sie mit seinem/ihrem Sohn zusammen.

über die Kindheit und über das Alter sprechen

Ich wollte immer ans Meer / in die Berge / nach ... fahren.
Als ich sechs Jahre alt war, konnte ich Fahrrad fahren / schwimmen / lesen / ...
In der Schule mussten wir still sitzen.
Ich musste zu Hause helfen und auf meine Geschwister aufpassen. / Ich war viel allein.
Wir waren viele Kinder und haben immer auf der Straße gespielt.
Ich durfte (nicht) auf der Straße spielen.

Seit 19 Jahren lebe ich allein.
Ich fühle mich fit und singe jede Woche im Chor.
Ich brauche ein Hörgerät.

Ich kenne ...

Nebensätze mit *als* (temporal)

Als ich 26 Jahre alt (war,)   habe ich geheiratet.
                              Ich habe geheiratet,   als ich 26 Jahre alt (war.)

die Modalverben im Präteritum

	wollen	können	dürfen	müssen
ich	wollte	konnte	durfte	musste
du	wolltest	konntest	durftest	musstest
er/sie/es	wollte	konnte	durfte	musste
wir	wollten	konnten	durften	mussten
ihr	wolltet	konntet	durftet	musstet
sie/Sie	wollten	konnten	durften	mussten

lange und kurze Silben

achtzig – neunzig   aber – Antwort   nie – oft

Sie gehen oft auf den Spielplatz.

Wann sind Sie das letzte Mal umgezogen?
Was war gut, was war schwierig?
Machen Sie eine Liste.

Mein Zuhause

Und wie wohnen Sie?

 1 **Zwei Wohnzimmer.**
a) Sehen Sie die Fotos an. Arbeiten Sie zu zweit. Jede/r beschreibt ein Bild.

> Im Wohnzimmer A/B steht ein dunkler Tisch / ein weißes Sofa / eine …
> Links/Rechts/In der Mitte steht ein/e … / ist ein Kamin. Auf dem Tisch sieht man …
> In der Ecke liegt ein rotes Kissen (D, CH)[1] / steht eine weiße Lampe / …
> Der Fernseher steht auf … / ist neben … / Am Fenster hängt ein Rollo …
> An der Wand hängt ein schönes/großes/buntes/… Bild / eine …

1 (A) das Polster

 b) Pia hat eine neue Wohnung. Welches ist ihr Wohnzimmer: A oder B? Hören Sie.

2 Wie gefallen Ihnen die Wohnzimmer? Sprechen Sie zu dritt.

> *Das Sofa in Zimmer A ist schön.*

> *Ich finde Zimmer B gemütlich.*

> *Mir gefällt es nicht. Ich mag Zimmer A lieber.*

> *Das Wohnzimmer A hat große Fenster. Das finde ich gut.*

 3 Und Ihr Wohnzimmer? Interviewen Sie Ihre/n Kursnachbar/in und machen Sie eine Skizze.
Dann beschreiben Sie das Wohnzimmer von Ihrem Partner/Ihrer Partnerin.

> *Wo steht dein Sofa?*

> *Hast du einen Fernseher?*

> *Ist das Zimmer hell/dunkel/groß …? Wie viele Stühle hast du?*

— über die Wohnungseinrichtung sprechen — sich (bei der Hausverwaltung) beschweren — einen Umzug organisieren — übers Renovieren sprechen — Wechselpräpositionen und Verben: *Wohin stellst ...* / *Wo steht ...* — das *s*: [z] und [s]

4

4 **a) Warum Feng Shui? Lesen Sie nur den Text in *kursiv* und sammeln Sie Ideen.**

b) Das ist neu. Unterstreichen Sie diese Wörter im Text und klären Sie sie im Kurs.

Harmonie • die Wohnung einrichten • Möbel umstellen • Wände streichen • Energie • Ordnung • Sachen wegwerfen • eine kühle Farbe wählen • das Tuch • hängen • ruhig wirken

Feng Shui – Wohnen in Harmonie

Feng Shui kommt aus China und ist über 5.000 Jahre alt. Ziel ist, dass der Mensch in Harmonie mit seiner Umgebung lebt. Auch in Europa richten immer mehr Menschen ihre Wohnung nach Feng Shui ein. Sie stellen ihre Möbel um, kaufen Pflanzen und streichen die Wände. Denn sie wollen sich wohl fühlen.

So auch MONIKA BERGER:
Ich habe mich in meiner Wohnung schon lange nicht mehr richtig wohl gefühlt. Ich habe schlecht geschlafen und war oft müde.

5 Vor drei Monaten habe ich meine Wohnung neu eingerichtet. Jetzt geht es mir gut. Ich fühle mich wohl und ich habe viel mehr Energie. In meiner Wohnung ist jetzt viel mehr Ordnung und Ruhe. Das gefällt mir sehr gut. Ich habe keine neuen Möbel gekauft. Aber ich habe

10 aufgeräumt und viele Sachen weggeworfen. Denn die Zimmer waren viel zu voll. Und dann habe ich mit meinen Freunden die Wände gestrichen. Ich habe die Farben nach Feng Shui ausgewählt. Die Wände sind jetzt alle sehr hell. Im Wohnzimmer sind sie hellgelb, die

Decke ist weiß. Für das Schlafzimmer habe ich eine 15 kühle Farbe gewählt. Es ist jetzt hellblau.
Es gibt im Feng Shui ein paar wichtige Regeln. Man soll zum Beispiel nicht mit dem Rücken zur Tür sitzen. Deshalb habe ich im Wohnzimmer das Sofa und den Tisch umgestellt. Vor das Regal habe ich ein weißes Tuch ge- 20 hängt. Jetzt wirkt das Zimmer sehr ruhig.
Im Schlafzimmer dürfen kein Fernseher und keine Pflanzen stehen. Das Bett soll nicht zwischen der Tür und dem Fenster stehen. Es darf aber auch nicht unter einem Fenster stehen. Unter dem Bett darf nichts lie- 25 gen. Gegenüber dem Bett soll keine Tür und kein Spiegel sein. Also habe ich das ganze Schlafzimmer umgeräumt. Es hilft! Ich wache morgens auf und bin fit.

5 **Vier Schritte. Arbeiten Sie mit dem Text.**

6 **Und Ihr Schlafzimmer? Vergleichen Sie mit dem Text.**

> *Mein Bett steht unter dem Fenster. Aber ich schlafe gut.*

✓ **Schon fertig?**
1. Finden Sie fünf Feng-Shui-Regeln im Text.
2. Welche Regeln finden Sie gut? Welche nicht?

Keine Pflanzen im Schlafzimmer? Das finde ich ...

1. *Ich-Erzähler* ➥ *Sie-Erzählerin (Zeile 5–16)*
3. *Nacherzählung mit dass-Sätzen:* **Sie sagt, dass ...** *(Zeile 22–27)*
4. *Schreiben Sie eine W-Frage und stellen Sie sie im Kurs.*
5. *Interview. Finden Sie zu jedem Textabschnitt eine Frage.*

Aufräumen und Umräumen

7 Das Schlafzimmer von Monika Berger. Wo steht was?

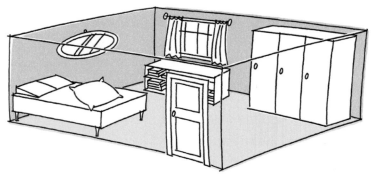

Das Bett		an der Wand
Der Schrank		in der Ecke
Der Spiegel	*stehen*	unter dem Fenster
Das Regal	*liegen*	im Regal
Die Bücher	*hängen*	auf dem Bett
Das Kissen		unter dem Spiegel

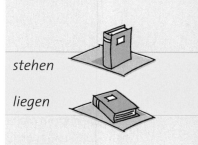

stehen

liegen

8 Wie war es vorher? Wo hat was gestanden? Beschreiben Sie.

Der Fernseher hat auf dem Regal gestanden.

Das Bett hat gegenüber der Tür gestanden.

stehen, er steht, hat gestanden
liegen, es liegt, hat gelegen
hängen, er hängt, hat gehangen
sitzen, sie sitzt, hat gesessen

D **A** **CH**
In DSüd, in Österreich und in der Schweiz Perfekt mit sein:
das Bett ist gestanden
das Polster ist gelegen
das Bild ist gehangen
du bist gesessen

9 Und was erzählt Monika Berger? Hören Sie und ergänzen Sie.

Bett • Ecke • Fernseher • Flur • Küche • Schlafzimmer •
Spiegel • Tür • Wand • Wand • Wohnzimmer

Ich habe den _____¹ ins _____² gestellt. Im

_____³ sind jetzt auch keine Pflanzen mehr. Ich habe sie

alle ins Wohnzimmer, in die _____⁴ und in den

_____⁵ gestellt. Und ich habe das _____⁶ in

die andere _____⁷, neben die _____⁸ gestellt.

Meinen großen _____⁹ habe ich an die andere

_____¹⁰ gehängt. Das Schlafzimmer sieht jetzt ganz

anders aus. Und wirklich toll ist: Ich schlafe jetzt viel besser.

10 Maria räumt auf.

a) Lesen Sie die Sätze. Ordnen Sie jedes Bild einem richtigen Satz zu.

 A    B    C    D

Wohin? →   Wo? ◉

Maria hängt die Jacke in den Schrank.   ➥ Die Jacke hängt im Schrank.

Sie stellt die Bücher ins Regal.   ➥ Die Bücher stehen im Regal.

Sie setzt die Puppe auf das Bett.   ➥ Die Puppe sitzt auf dem Bett.

Sie legt das Heft in die Schublade.   ➥ Das Heft liegt in der Schublade.

b) Fragen und antworten Sie.

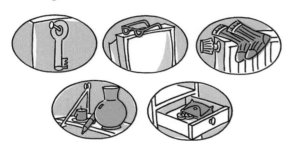

> Hast du meinen Schlüssel gesehen?

> Ich habe ihn an die Wand gehängt.

c) Dinge verstecken. Eine/r geht raus, die anderen verstecken z. B. einen Stift. Dann fragt er/sie, die anderen antworten nur mit *ja* oder *nein*.

> Habt ihr ihn unter ein Buch gelegt?

> Nein!

So geht's:
Wohin? → **+ Akkusativ:**
stellen (hat gestellt)
legen (hat gelegt)
setzen (hat gesetzt)
hängen (hat gehängt)

Wo? ◉ **+ Dativ:**
stehen, liegen, hängen, sitzen

Wechselpräpositionen:
an – auf – hinter – in – neben – über – unter – vor – zwischen

---

11 Partnerspiel. Partner/in A arbeitet mit Seite 125, Partner/in B mit Seite 126.

12 a) Zweimal „s": [z] und [s]. Hören Sie den Unterschied.
15

b) Wo hören Sie [z] = ? Kreuzen Sie an und kontrollieren Sie mit der CD.

☐ Fernseher	☐ ins	☐ Sommer	☐ rasieren
☐ das	☐ kannst	☐ aus	☐ etwas
☐ Sachen	☐ Fenster	☐ essen	☐ sitzen
☐ nichts	☐ sich	☐ Esstisch	☐ uns

Besonders in Ⓓ
unterscheidet man:

[z] =
*mit Stimme
s vor Vokalen*

und [s] =
*ohne Stimme
ss und s vor
Konsonanten und im Auslaut*

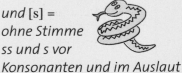

Lernstationen: Umziehen

13 Es gibt vier Stationen. Jede/r arbeitet an jeder Station 10 Minuten.
Sind Sie früher fertig, können Sie *Schon fertig* machen.
Sammeln Sie Ihre Ergebnisse:

Station 1: Notizen zu den Antworten und zum Dialog
Station 2: ein Wörternetz auf einem großen Papier
Station 3: einen Dialog auf einem großen Zettel (und laut lesen üben)
Station 4: einen eigenen Brief

16

Station 1: Einen Text hören und Informationen zuordnen

Simay und Merhad wollen umziehen.
a) Was sucht Simay? Hören Sie den Dialog.

b) Hören Sie noch einmal und lesen Sie. Was sind Schönheits-reparaturen? Wie oft sind sie nötig? Machen Sie Notizen.

> **§ 13 Gebrauch und Pflege der Mieträume, Schönheitsreparaturen**
>
> 1. Im allgemeinen werden Schönheitsreparaturen in den Mieträumen in folgenden Zeitabständen erforderlich:
>
> | | |
> |---|---|
> | in Küchen, Bädern und Duschen | alle 3 Jahre, |
> | in Wohn- und Schlafräumen, Fluren, Dielen und Toiletten | alle 5 Jahre, |
> | in anderen Nebenräumen | alle 7 Jahre. |
>
> 2. Hat sich der Mieter zur Durchführung der Schönheitsreparaturen verpflichtet, und beabsichtigt der Vermieter, nach Beendigung des Mietverhältnisses bauliche Veränderungen, insbesondere Modernisierungsmaßnahmen durchzuführen, ist der Mieter zur Zahlung einer ang͏̶͏̶ Entschädigung an͏̶͏̶ der geschuldeten Leistung verpflichtet.

Station 2: Ein Wörternetz machen

Merhad hat renoviert.
a) Was war gut ☺, was war schlecht ☹? Lesen Sie die E-Mail und markieren Sie im Text.

○○○

Hallo Papa,

du weißt, dass wir unsere alte Wohnung renovieren müssen. Gestern haben wir angefangen. Zuerst sind wir in den Baumarkt gefahren und haben Farben, Rollen, Pinsel usw. eingekauft. Natürlich war alles schrecklich teuer. Dann haben wir die Türen gestrichen. Das hat Stunden gedauert. Heute wollten wir die Decken weiß streichen. Das war sehr anstrengend und nach einer Stunde haben meine Arme weh getan. Dann bin ich auch noch von der Leiter gefallen. Zum Glück ist nichts Schlimmes passiert, aber ich war sehr sauer. Dann hatte Simay eine tolle Idee: Sie hat unseren Nachbarn Lutz gefragt, ob er uns helfen kann. Er ist Maler und sehr nett. Bis zum Abend war alles fertig. Jetzt bin ich müde, aber froh.

Viele Grüße, dein Merhad

b) Lesen Sie die E-Mail noch einmal und machen Sie ein Wörternetz.

Station 3: Einen Umzug planen

a) Sie suchen eine billige Umzugsfirma und Sie haben keine eigenen Umzugskartons. Wo rufen Sie an? Wählen Sie.

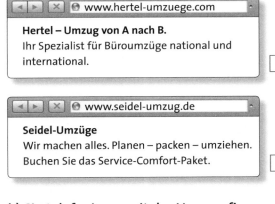

◄ ► ✕ ⊝ www.hertel-umzuege.com

Hertel – Umzug von A nach B.
Ihr Spezialist für Büroumzüge national und international.

◄ ► ✕ ⊝ www.avanti.net

Avanti
Ihr Umzugsunternehmen zu einem sensationellen Preis. Umzugskisten gratis.

◄ ► ✕ ⊝ www.seidel-umzug.de

Seidel-Umzüge
Wir machen alles. Planen – packen – umziehen. Buchen Sie das Service-Comfort-Paket.

- *Termin*
- *Adressen (alte / neue Wohnung)*
- *Welcher Stock?*
- *Gibt es einen Lift?*
- *Wie teuer?*
- *Wie viele Kisten bis wann?*

b) Sie telefonieren mit der Umzugsfirma. Lesen Sie die Notizen und schreiben Sie den Dialog. Üben Sie ihn laut.

Schon fertig?
Sie möchten Ihr Wohnzimmer verändern. Schreiben Sie einen Plan.

die Wände streichen • einen Teppich kaufen • ein Bild an die Wand hängen • das Sofa umstellen • ein neues Regal aufstellen • …

Station 4: Einen Brief schreiben

Herr Kowalski hat ein Problem und schreibt an die Hausverwaltung.
a) Was fehlt in dem Brief? Ordnen Sie die Textteile zu.

1. Die Heizung funktioniert nicht.
2. Mit freundlichen Grüßen
3. Waldheimstr. 12
4. 13.11.2011
5. Sehr geehrter Herr Brunner,

b) Und jetzt Sie. Wählen Sie ein Problem aus und schreiben Sie einen Brief an Herrn Brunner.

eine Wand im Schlafzimmer ist feucht •
die Klingel /das Licht im Treppenhaus[1] funktioniert nicht •
die Toilette ist kaputt

DE GO WA – Hausverwaltung
Herr Peter Brunner
Leopoldstraße 112
80324 München

Pjotr Kowalski
Waldheimstraße 12
86161 Augsburg

Augsburg, ☐

Betr. : Wohnung-Nr.: 62, in der ☐, 3. OG, links

☐
der Winter hat begonnen und wir haben ein Problem:
☐
Bitte beheben Sie das Problem so schnell wie möglich. Vielen Dank.
☐
Pjotr Kowalski

1 das Stiegenhaus (A)

14 Präsentieren Sie Ihre Ergebnisse und vergleichen Sie im Kurs.

Alle zusammen

15 Kunst im Kurs.

a) Zwei Personen gehen in die Mitte. Eine/r ist eine Statue. Der/Die andere bewegt die Statue nach den Anweisungen aus der Gruppe.

b) Stopp! Jetzt beschreiben Sie. Jede/r sagt einen Satz.

16 Sie wollen zu zweit umziehen. Planen Sie gemeinsam den Umzug.

a) Machen Sie vor dem Gespräch Notizen zu den folgenden Punkten.

Vor dem Umzug: die Checkliste

- den Termin machen
- Wer kann helfen?
- Wie viele Kartons?
- Wo bekommen wir sie?

- Lkw?
- Wer fährt?
- Essen und Trinken für die Helfer vorbereiten

 b) Führen Sie das Gespräch zu zweit. Sie haben 6 Minuten Zeit. Notieren Sie die Ergebnisse.

c) Präsentieren Sie Ihren Umzugsplan im Kurs.

Wo ist das?

Yi Jia gibt es seit 1998 in China und ist heute sehr beliebt. In jeder großen Stadt findet man – wie in Europa auch – kaum noch einen jungen Haushalt ohne ein Ikea-Produkt. Die Filialen in Shanghai und Peking gehören zu den Top 10 aller Ikea-Häuser weltweit. Die Chinesen mögen offensichtlich die schwedische Marke. Vielleicht liegt das auch am Namen. Das Möbelhaus heißt hier „Yi Jia", auf Deutsch: „Passend für dein Haus". Und die chinesischen Kunden fühlen sich in den Filialen wohl. Nach einem großen Teller Köttbullar im Ikea-Restaurant ist man schon mal etwas müde. Punkt 12 Uhr gibt es die ersten Kunden, die sich in *Malm, Hopen* oder *Heimdal* ausruhen. Wer keinen Platz mehr bei den Betten findet, geht zu den Sofas. Aber man muss schnell sein. Ab 12.30 Uhr ist sogar jeder Sessel besetzt. Gegen 13.30 Uhr wecken freundliche Verkäuferinnen die Kunden. Sie machen die Betten neu und um 14 Uhr ist die „Siesta" vorbei.

Hotel Mama

So schnell wie möglich eine eigene Wohnung? Das war einmal.

Joachim Kuhn, 32 Jahre alt, Steuerberater, kommt heute später nach Hause. Natürlich ruft er an, denn seine Mutter wartet mit dem Essen auf ihn. Warum wohnt er in seinem Alter noch zu Hause? „Warum nicht?", fragt er zurück, „Ich verstehe mich gut mit meinen Eltern. Der Kühlschrank ist immer voll, die Wäsche liegt gewaschen und gebügelt bereit. So kann ich mich ganz auf meine Arbeit konzentrieren."
Die 25-jährige Nadine wollte nach dem Studium eigentlich ausziehen. Jetzt hat sie einen guten Job, lebt aber immer noch in der Einliegerwohnung im Elternhaus. „Meine Klopapierrollen lege ich selber ein, aber Mama

kauft sie." Das Geld ist ein wichtiger Grund. „Wo finde ich in München so eine Wohnung für so wenig Geld?" Gar nicht, denn Nadine muss keine Miete zahlen. Nur ihren Strom und die Heizungskosten soll sie übernehmen. Aber auch das „vergessen" die Eltern manchmal.
Das Hotel Mama mit Vollpension und Zimmerservice ist gut belegt: Mehr als zwei Drittel der 18- bis 25-jährigen Deutschen leben noch zu Hause. Bei Männern ist das durchschnittliche Alter beim Auszug auf 26 Jahre angestiegen.

nach: „Hotel Mama", Fokus online

Ich kann ...

über die Wohnungseinrichtung sprechen

Im Wohnzimmer/In der Ecke/Hinten ... steht ein blaues Sofa/eine große Lampe/...
Das Zimmer hat ein großes Fenster. Das gefällt mir.
Ich finde das Zimmer/das Sofa/die Lampe/... sehr voll/sehr schön/gemütlich/hässlich ...
Ich habe die Möbel umgestellt / den Spiegel an die Wand gehängt / das Bett in die Ecke gestellt.
Jetzt fühle ich mich wohl.

mich (bei der Hausverwaltung) beschweren

Wir haben ein Problem. Die Heizung/Die Klingel/Das Licht im Treppenhaus funktioniert nicht.
Die Toilette ist kaputt. / Die Wand im Schlafzimmer / in der ... ist feucht.
Bitte beheben Sie das Problem so bald wie möglich.

einen Umzug organisieren

Wir ziehen am 30. 12. um. Wir brauchen 30 Umzugskartons. Wir müssen einen Lkw mieten.
Wer kann uns helfen? Hast du Klaus gefragt, ob er uns hilft?
Die Wohnung ist im 4. Stock. Gibt es einen Lift?
Rufst du beim Umzugsunternehmen an? Wie teuer ist die Firma?

übers Renovieren sprechen

Im Mietvertrag steht, dass wir die Wände streichen müssen.
Wir müssen in den Baumarkt gehen. Wir brauchen Pinsel und Farben.
Wir haben die Türen gestrichen. Das hat Stunden gedauert.
Heute wollten wir die Decken weiß streichen. Das war sehr anstrengend und nach einer Stunde
haben meine Arme weh getan. Dann bin ich auch noch von der Leiter gefallen.

Ich kenne ...

Wechselpräpositionen: *an, auf, hinter, in, neben, über, unter, vor, zwischen*

Wohin? → (+ Akkusativ)

Wo? ⊙ (+ Dativ)

Maria hängt die Jacke in den Schrank.

➤ Die Jacke hängt im Schrank.

Sie stellt die Bücher ins Regal.

➤ Die Bücher stehen im Regal.

Sie setzt die Puppe auf das Bett.

➤ Die Puppe sitzt auf dem Bett.

Sie legt das Heft in die Schublade.

➤ Das Heft liegt in der Schublade.

das *s*: [z] und [s]

[z]

[s]

Regel:

Fernseher
sich
Musik

Fenster
nichts
muss

[z] = *s* vor Vokalen
[s] = *s* und *ss* vor Konsonanten und
     im Auslaut

Geld

Was bedeutet für Sie Geld? Machen Sie ein Plakat.

Geld bedeutet Freiheit.

Geld macht schön!

Mit Geld kann man träumen.

Das Leben ist teuer.

bekommen

Geld

bezahlen

**Zur nächsten Stunde:
Bringen Sie einen Über-
weisungsschein mit.**

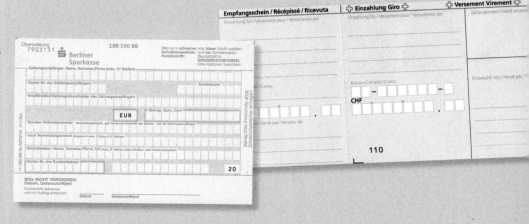

Rund ums Geld

Wo bleibt das Geld?

1 Wofür geben Sie Geld aus?

a) Ordnen Sie die Bilder zu.

1. ☐ Reisen   2. ☐ Auto   3. ☐ Lebensmittel   4. ☐ Körperpflege

5. ☐ Wohnen   6. ☐ Kleidung   7. ☐ Unterhaltung   8. ☐ Medien

b) Das Leben ist teuer. Erzählen Sie im Kurs.

> Ich muss / Wir müssen jeden Monat die Miete / den Kindergarten / den Strom / ... bezahlen.
> Ich brauche Geld für Lebensmittel / für meine Tiere / für die Schulsachen / für ...
> Wir geben (zu) viel Geld für unsere Hobbys / für das Auto / für ... aus.
> Wir haben (zu) wenig Geld für unsere Freizeit / für ...
> Ich möchte öfter ins Kino / ... gehen. / Ich brauche mehr Geld für ...
> Ich spare für eine Reise / für ein Auto / für neue Möbel ...

- über Geld sprechen • eine Überweisung machen • ein Konto eröffnen
- einen Kontoservice-Automaten benutzen • Nebensätze mit *weil*
- Adjektivdeklination nach dem bestimmten Artikel • das silbische *n*

2 Geldprobleme.

a) Was meinen Sie, was steht im Text? Lesen Sie die Überschriften und sehen Sie das Foto an. Sammeln Sie Ideen im Kurs.

b) Das ist neu. Unterstreichen Sie diese Wörter im Text und klären Sie sie im Kurs.

Schulden machen • die Zinsen • einen Vertrag unterschreiben • das Konto überziehen • einen Kredit aufnehmen • Strom sparen • Überstunden machen • die Beratungsstelle

c) Warum hat das Ehepaar Schulden gemacht? Lesen und antworten Sie.

Neustart oft schwierig: Geht es nicht ohne Schulden?

Ein neues Auto, eine neue Wohnung – das kostet viel Geld. Die Bank hilft mit einem Kredit. Zuerst ist alles gut, aber plötzlich arbeitet man nur noch für die Zinsen. Unsere Reporterin hat vier Menschen gefragt, warum sie Schulden gemacht haben.

Simina Petrescu (29)

Als ich nach Deutschland gekommen bin, wollte ich mit meinem Mann zusammenleben. Aber er hatte noch kei-
5 ne eigene Wohnung und wir haben zu dritt bei einem Freund gewohnt. Seine Wohnung war viel zu klein. Wir haben lange nach einer Wohnung gesucht. Es war sehr schwierig, weil wir nicht viel Geld hatten. Endlich haben wir eine
10 Wohnung gefunden, aber wir mussten sie erst renovieren. Wir sind zur Bank gegangen und haben nach einem Kredit gefragt. Wir haben einen Vertrag unterschrieben und das Geld bekommen. Wir waren
15 glücklich, haben Möbel gekauft und unser neues Leben gefeiert. Ich wollte jetzt auch arbeiten. Ich habe die Job-Anzeigen studiert und auch schnell eine Arbeit als Paketbotin gefunden. Aber für diesen Job braucht man ein eigenes Auto. Natürlich hatten wir kein Geld für ein
20 Auto. Aber ich war froh, dass ich so schnell eine Arbeit gefunden habe. Wir haben gedacht, das schaffen wir

schon und haben ein billiges Auto gekauft. Wir haben jeden Monat unser Konto überzogen und dann mussten wir wieder zur Bank gehen und haben einen neuen Kre-
25 dit aufgenommen. Die Zinsen sind sehr hoch und das ist ein großes Problem. Wir müssen sparen. Wir achten beim Einkaufen auf die Angebote. Wir sparen Strom. Wir laden Freunde zu
30 uns zum Essen nach Hause ein und gehen nicht mehr ins Restaurant. Wir machen Überstunden und arbeiten viel – für den Kredit. Aber wir haben eine gute Beratungsstelle gefunden
35 und bekommen Hilfe. In ein paar Jahren haben wir es geschafft.

Samuel Kanter (33)

Ich habe gut verdient und wollte eine Traumreise nach Afrika machen. Ich habe das Geld von der Bank bekom-
40 men, aber dann ...

3 Fünf Schritte. Arbeiten Sie mit der Hand.

Schon fertig?

1 Unterstreichen Sie zehn Verben und ordnen Sie die passenden Nomen zu.

gekommen: nach Deutschland kommen

2 Was antwortet Samuel Kanter? Schreiben Sie die Geschichte weiter.

4 Wie denken Sie über Schulden? Diskutieren Sie im Kurs.

1. *Ich-Erzähler* ➔ *Sie-Erzählerin (Zeile 2–14)*
2. *Rückblick:* **Die Zinsen waren …** *(Zeile 25–33)*
3. *Nacherzählung mit dass-Sätzen:* **Sie hat gesagt, dass …** *(Zeile 9–18)*
4. *Schreiben Sie eine W-Frage und stellen Sie sie im Kurs.*
5. *Interview. Notieren Sie fünf Fragen an Simina.*

Ein Konto bei der Bank

5 Eine Überweisung[1] ausfüllen.

a) Ismi hat eine Rechnung für ein Buch bekommen und muss das Geld überweisen. Füllen Sie die Felder aus.

1 der Einzahlungsschein (A, CH)

```
Überweisung                              100 500 00    Bitte nur in schwarzer oder blauer Schrift ausfüllen!
7903151    ⦻ Berliner                                  Schreibmaschine: normale Schreibweise!
              Sparkasse                                Handschrift:     Blockschrift in
                                                                        GROSSBUCHSTABEN,
     Zahlungsempfänger: Name, Vorname/Firma (max. 27 Stellen)           bitte Kästchen beachten!

     Konto-Nr. des Zahlungsempfängers                          Bankleitzahl

     Kreditinstitut/Zahlungsdienstleister des Zahlungsempfängers

                              EUR          Betrag: Euro, Cent

     Kunden-Referenznummer - Verwendungszweck, ggf. Name und Anschrift des Zahlers - (nur für Zahlungsempfänger)

     noch Verwendungszweck (insgesamt max. 2 Zeilen à 27 Stellen)

     Kontoinhaber: Name, Vorname/Firma, Ort (max. 27 Stellen, keine Straßen- oder Postfachangaben)

     Konto-Nr. des Kontoinhabers                                         20

     Bitte NICHT VERGESSEN:
     Datum, Unterschrift(en)
     Durchschrift abtrennen
     und nur Auftrag einreichen!     Datum        Unterschrift(en)
```

Ismi Kasa
Konto-Nr. 1420335573

Cornelsen Verlag GmbH

RECHNUNGS-NR. 22345

Ja genau Kursbuch,
Band 3   12,95 Euro

Konto: 22667865
Kreditinstitut: Postbank,
BLZ 10040030

b) Markieren Sie im Formular die Begriffe rechts. Bilden Sie zwei Gruppen. Jede Gruppe schreibt acht Partnerkarten. Gruppe 1: Begriff, Gruppe 2: Eintrag aus a).
Dann mischen Sie alle 16 Karten, jede/r zieht eine Karte und sucht den/die Partner/in.

Betrag

12,95 Euro

Zahlungsempfänger/in ·
Konto-Nr. des Empfängers ·
Konto-Nr. des Kontoinhabers ·
Bank des Empfängers ·
Bankleitzahl · Betrag ·
Kontoinhaber/in ·
Verwendungszweck

6 Am Kontoservice-Automaten. Welche Taste müssen Sie drücken? Ordnen Sie zu.

1. Sie möchten, dass der/die Vermieter/in die Miete jeden Monat pünktlich bekommt.
2. Sie wollen eine Rechnung bezahlen.
3. Sie wollen wissen, wie viel Geld auf Ihrem Konto ist.
4. Sie wollen Geld abheben.
5. Sie brauchen eine Quittung.

a) Kontoauszug drucken
b) Dauerauftrag einrichten
c) Auszahlung
d) Beleg drucken
e) Überweisung

✓ **Schon fertig?**
Die Stadtbau GmbH Stuttgart bekommt eine Kaution von 1500,– Euro. Füllen Sie Ihren Überweisungsschein aus.

 45

Stadtbau GmbH Stuttgart,
Konto 6532216788,
BLZ 600 402 00

7 Klaus und Susanne Doneker wollen die Bank wechseln. Warum?
Hören Sie und kreuzen Sie an.

17

☐ Weil die Bank zu weit weg ist.   ☐ Weil die Gebühren zu hoch sind.

8 In der Stadtbank. Hören und lesen Sie. Antworten Sie.

18

1. Warum hat Herr Doneker einen Termin mit Herrn Marwald gemacht?
2. Wie teuer ist ein Girokonto bei der Stadtbank?
3. Was musste Herr Doneker mitbringen?
4. Wie bekommt er seine EC-Karte[1] und die Geheimnummer?

K. Doneker:	Guten Tag, mein Name ist Doneker. Ich habe einen Termin mit Herrn Marwald, weil ich vielleicht ein Girokonto eröffnen möchte.
Angestellte:	Einen Moment bitte. Herr Marwald ist gleich für Sie da.
H. Marwald:	Herr Doneker? Marwald, guten Tag. Bitte kommen Sie doch mit in mein Büro. Sie interessieren sich für unser Girokonto?
K. Doneker:	Ja genau, ich habe gelesen, dass das Girokonto bei Ihnen gebührenfrei ist?
H. Marwald:	Ja, das ist richtig. Und beim Online-Banking ist auch jede Überweisung gratis.
K. Doneker:	Bekomme ich auch einen Dispokredit?
H. Marwald:	Der Überziehungskredit hängt von Ihrem Gehalt ab. Haben Sie eine Gehaltsbescheinigung mitgebracht?
K. Doneker:	Ja, hier ist meine letzte Lohnabrechnung.
H. Marwald:	Wunderbar, dann ist alles klar. Ihre EC-Karte und die Geheimnummer schicken wir Ihnen in ein paar Tagen getrennt per Post zu. Sie können dann an jedem Geldautomaten Geld abheben.
K. Doneker:	Okay. Wo muss ich unterschreiben ...?

> ### Bankwörter
> *ein (Giro-)Konto eröffnen • der Geldautomat[2] • die Geheimnummer • die Kontogebühren • Online-Banking machen • einen Dispokredit (D)[3] bekommen • Geld abheben*

1 Bankomatkarte (A), Bancomatkarte (CH)
2 Bankomat (A), Bancomat (CH)
3 Überziehungskredit (A, CH, D)

9 Nebensätze mit *weil*. Schreiben Sie Antworten wie im Beispiel.

Warum wechselt Herr Doneker die Bank?

Hauptsatz	Nebensatz
Herr Doneker wechselt die Bank,	weil die Gebühren zu hoch sind.

1. Warum geht Klaus Doneker zur Stadtbank?
2. Warum bekommt er einen Dispokredit?
3. Warum hat Online-Banking Vorteile?

> *Er hat seine Lohnabrechnung mitgebracht.*
> *Das Girokonto ist gebührenfrei.*
> *Eine Überweisung kostet nichts.*

10 Ausreden. Fragen und antworten Sie im Wechsel.

Warum warst du nicht bei der Bank?

Weil ich keine Zeit hatte.

Warum hattest du keine Zeit?

Weil ich arbeiten musste.

> *Warum hast du deine Hausaufgaben nicht gemacht? •*
> *Warum hast du die Küche nicht geputzt? • Warum kommst du zu spät? ...*

Rund ums Geld

Wie kann ich sparen?

11 Bilden Sie vier Gruppen: gelb, blau, rot und grün. Jede Gruppe löst die Aufgaben a–c zu ihrem Text.

a) Lesen Sie die Tipps und ordnen Sie die Bilder zu. Ein Tipp hat kein Bild.

b) Was sollen Sie tun? Sammeln Sie.

c) Unterstreichen Sie die Adjektive nach dem Artikel.

> – die Lampen austauschen

> Die <u>moderne</u> Energiesparlampe.

Bei der Stromrechnung

1. Die moderne Energiesparlampe ist beim Kauf teuer, aber sie spart viel. Tauschen Sie Ihre Lampen aus.
2. Das rote Lämpchen leuchtet? Auch der Stand-by-Modus verbraucht Strom. Ziehen Sie den Stecker aus der Steckdose!
3. Achten Sie beim Kauf von Elektrogeräten auf die Energieklasse (A++, A+, A, B, C). Kaufen Sie keine Geräte aus der Klasse C.

Beim Autofahren

1. Mit dem richtigen Reifendruck verbraucht Ihr Auto weniger Benzin. Überprüfen Sie ihn regelmäßig.
2. Warum immer mit dem Auto fahren? Fahren Sie Fahrrad. Das macht Spaß und ist gesund!
3. Auch der kurze Weg zum Bäcker kostet Benzin. Vermeiden Sie die kurzen Fahrten mit dem teuren Auto.

Beim Einkaufen

1. Suchen Sie im Supermarkt die billige Butter unten im Regal! Die teuren Produkte stehen immer in Augenhöhe.
2. Sie sind hungrig? Dann gehen Sie nicht einkaufen! Weil man hungrig auch den teuren Käse kauft.
3. Ausleihen statt kaufen: Sie können das neue Video oder eine Bohrmaschine auch ausleihen.

Im Haushalt

1. Ein Waschgang in der modernen Spülmaschine kostet nur 35 Cent. Beim Spülen mit der Hand verbrauchen Sie 66 Cent!
2. Benutzen Sie beim Kochen nur wenig Wasser – das spart Energie und ist gut für die wichtigen Vitamine.
3. Duschen statt baden. Das heiße Bad in der Wanne verbraucht 140–180 Liter Wasser. Die Dusche verbraucht nur circa 60 Liter.

12 Sie sind Experte für Ihren Text. Mischen Sie die Gruppen neu. In jeder Gruppe müssen alle Farben sein. Lösen Sie die Aufgaben a–c.

a) Zeigen Sie Ihre Bilder und beschreiben Sie sie.

b) Was soll man tun? Machen Sie gemeinsam eine Liste.

c) Ergänzen Sie zusammen die Tabelle und markieren Sie die Endungen.

> *Das ist eine Energiesparlampe.*

Adjektivdeklination mit bestimmten Artikel

	der ▨:	*das* ✕:	*die* ✿:
Nominativ	der kurze Weg	das _____ Bad	die _____ Energiesparlampe
Akkusativ	den _____ Käse	das _____ Video	die _____ Butter
Dativ	mit dem _____ Reifendruck	mit dem _____ Auto	in der _____ Spülmaschine
Plural die (Pl.)	*Nominativ / Akkusativ / Dativ* teuren Produkte / wichtigen Vitamine		

> ✿ **Tipp**
> *im Plural und im Dativ Endung immer -en*

13 Stars im Kurs. Spielen Sie „auf dem roten Teppich".

Und das ist die tolle …

Schau mal, ist das nicht die berühmte Maria Pokopulis?

Und siehst du den sportlichen Mann? Das ist doch …

> *bekannt • cool • erfolgreich • fröhlich • groß • glücklich • höflich • intelligent • interessant • lustig • nett • schön • stark • stolz • süß • toll • zuverlässig • elegant*

14 Das *en* am Ende. Hören Sie. Welchen Buchstaben hören Sie, welchen (fast) nicht? Sprechen Sie nach.

tauschen Sie aus

mit dem richtigen Reifendruck

ausleihen statt kaufen

baden statt duschen

Rund ums Geld

Alle zusammen

15 Aufgaben rund ums Geld.
a) Erweitern Sie Ihr Wörternetz. Machen Sie ein Plakat für den Kursraum.

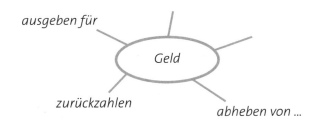

ausgeben für

Geld

zurückzahlen

abheben von ...

b) Sprechen Sie über das Geld aus Ihrer Heimat.

Wie viel ist es im Vergleich zum Euro wert?
Was sieht man auf dem Geld?
Wie viel kostet ein Brot?
Was verdient ein/e ...?

Für einen Euro bekommt man ...

Unser Geld heißt ...

Wir haben auch den Euro. Ein Lehrer verdient ca. ...

Auf dem 100 Yuan-Schein sieht man Mao.

c) Warum-weil-Kette. Starten Sie mit einer Frage. Der/Die Nächste antwortet. Welche Kette geht am längsten?

Startfragen:
Warum brauchst du Geld?
Warum gibst du dein Geld so schnell aus?
Warum hast du Geld?
Warum hast du kein Geld?

Weil ich reisen möchte.

Warum möchtest du reisen?

Weil ich viele Länder sehen möchte.

Warum möchtest du viele Länder sehen?

Weil ich neugierig bin.

⊚ Geld
20

Ich brauch' kein Haus, ich möchte drei davon.
Ich brauch' keinen Sekt, ich will Champagner.
Ich brauch' nicht Rügen, ich will Sylt.
Brauch' keinen Pool, ich will das Meer.

Ich will kein Brot, ich will den Kuchen ganz.
Ich will kein Wasser, ich will Wein.
Brauch' keine Villa, will das Schloss.
Und keine Arbeit, nur den Boss.

Geld – gib mir mehr davon
Geld – alles hab ich schon
Geld – macht mich wirklich frei
drum schenk mir keine Liebe, schenk mir
Geld – denn das macht mich schön
Geld – willst du mich verwöhnen?
Geld – macht mich wirklich schwach
drum schenk mir keine Blumen, schenk mir
Geld.

Rosenstolz: „Geld", Edit. Peter Plate/Wintrup Musik

Geldwörter in D A CH

Moneten Cash Flieder
Kohle Stutz
Knete Mäuse Klotz
Marie
Asche

*Ohne Moos
nichts los.*

Witzig

Ein Mann sagt zu seinem Freund: „Stell dir vor, du findest einen 1 000-Euro-Schein in deiner Hosentasche. Was machst du?" „Ich frage mich, wem die Hose gehört."

Geld stinkt nicht.

Sie schwimmt im Geld.

Er hat Geld wie Heu.

Geld regiert die Welt.

Ich kann ...

über Geld sprechen

Ich muss die Miete / den Strom / ... bezahlen.
Ich gebe / Wir geben (zu) viel Geld für meine/unsere Hobbys / für das Auto / für ... aus.
Wir müssen einen Kredit aufnehmen / den Kredit zurückzahlen.
Jetzt habe ich / haben wir Schulden. / Im Moment habe ich keine Schulden.
Ich spare für eine Reise / für ein Auto / für eine neue Wohnung ...

eine Überweisung machen, ein Konto eröffnen

Wir müssen das Geld noch überweisen.
Das ist meine Kontonummer und das ist die Bankleitzahl von meiner Bank.
Ich möchte ein Konto bei Ihnen eröffnen.
Wie hoch sind Ihre Gebühren für ein Girokonto? / Wann bekomme ich meine EC-Karte/
Kreditkarte? Und die Geheimnummer? / Bekomme ich auch einen Dispokredit?

Tipps zum Sparen verstehen und geben

Strom sparen? – Ziehen Sie den Stecker aus der Steckdose! / Nicht die teure Butter kaufen,
lieber die billige unten im Regal. / Duschen statt baden. Das verbraucht nicht so viel Wasser.

Ich kenne ...

Nebensätze mit *weil*

Ich muss sparen, weil ich Schulden habe.

‹ Warum hast du am Sonntag keine Zeit? ▮ Weil meine Eltern kommen.

Adjektive nach dem bestimmten Artikel

	der ▨	das ✕	die ✿
Nominativ Das ist ...	der neue Computer.	das neue Telefon.	die neue Kollegin.
Akkusativ Ich suche ...	den neuen Computer.	das neue Telefon.	die neue Kollegin.
Dativ Ich arbeite mit ...	dem neuen Computer.	dem neuen Telefon.	der neuen Kollegin.

Plural *die (Pl.)*	*Nominativ / Akkusativ / Dativ* die neuen Computer / die neuen Computer / mit den neuen Computern

das silbische *n*

ausleih_en statt kauf_en   bad_en statt dusch_en

Zur nächsten Stunde:
Wie ist das Leben in D A CH? Was gefällt Ihnen, was nicht? Was ist anders?
Schreiben Sie einen kleinen Artikel oder eine kurze Geschichte.

Miteinander leben

1 Miteinander leben. Was heißt das? Sammeln Sie Ideen und Beispiele und erzählen Sie.

Man diskutiert und protestiert. Man streitet sich und einigt sich.
Man arbeitet, lebt und feiert zusammen.
Man lässt den anderen in Ruhe. Man hilft dem anderen.

2 Mario Apelt ist umgezogen. Wie gefällt ihm der neue Stadtteil? Was ist gut, was ist schlecht?
Hören Sie den Dialog zweimal und machen Sie Notizen.

21

☹	☺
– keine Kinder im Haus	– Straße ist toll
	– Paula: neue Freundin

3 Ihr Stadtteil. Was gefällt Ihnen (nicht)? Erzählen Sie.

Mir gefällt die Lage. Es gibt ...

Ich mag die Nachbarn. Sie ...

Ich vermisse ...

über das Zusammenleben sprechen • etwas vergleichen • Komparativ: *klein – kleiner, gut – besser* • Verben mit Dativergänzung • Personalpronomen im Dativ • Sätze mit Dativ und Akkusativ • *r* im Auslaut nach *i, ie* und *ih*

6

4 Angekommen.

a) Was heißt „ankommen" für Sie? Sammeln Sie Ideen im Kurs.

b) Das ist neu. Unterstreichen Sie diese Wörter im Text und klären Sie sie im Kurs.

in Phasen verlaufen • ein Erfahrungsbericht • sich fremd fühlen • Hoffnung haben • unsere Landsleute • Heimweh haben • sich persönlich vorstellen • Angst haben • sich lohnen

c) Lebt Elena Ginder heute gerne in der neuen Heimat? Lesen und antworten Sie.

In der neuen Heimat angekommen

Der Weg in eine neue Gesellschaft ist lang und verläuft in Phasen. Ein Erfahrungsbericht von Elena Ginder, Russin, seit vier Jahren in Deutschland.

Als ich noch in Russland war, habe ich von Deutschland geträumt. Als wir dann wirklich nach Deutschland gegangen sind, haben wir uns zuerst wie Touristen gefühlt. Alles war neu und interessant. Wir hatten so viel Hoff-
5 nung, dass wir eine gute Arbeit finden und ein schönes Leben führen. Das war die erste Phase.
Aber der Alltag war schwierig: Wir mussten eine Wohnung suchen, zum Arzt gehen oder zum Amt. Die Sprache war ein Problem. Auch das Wetter, das Essen, die
10 Menschen – alles war anders. Wir haben uns so fremd und allein gefühlt. Wir haben wenig gesprochen, weil wir Angst hatten, dass wir alles falsch machen.
Wir haben oft an Russland gedacht und fast vergessen, warum wir von dort weggegangen sind. In dieser zwei-
15 ten Phase hatten wir fast nur noch Kontakt mit unseren Landsleuten. Wir konnten keine gute Arbeit finden, weil unser Deutsch zu schlecht war. Unsere Kinder hatten große Probleme in der Schule. Wir haben viel über Deutschland geschimpft und wir hatten schreckliches
20 Heimweh, aber wir konnten und wollten auch nicht mehr zurück.

Also haben wir weitergemacht. Wir haben immer mehr Deutsch gelernt. Ich konnte eine Weiterbildung machen und wir haben den Kontakt zu unseren deutschen Nachbarn gesucht. Aber oft habe ich sie nicht verstanden: 25
Zum Beispiel wollte ich eine Nachbarin besuchen, aber sie wollte, dass ich sie vorher anrufe. Und warum muss man eine Bewerbung schicken und kann sich nicht einfach persönlich vorstellen? Warum kann mein Kind „du" zur Erzieherin sagen, ich aber nicht? Aber wir konnten 30
auch über uns lachen und jeden Tag hatten wir kleine Erfolge. Das war die dritte Phase.
Und heute sind wir in der vierten Phase: Wir sind angekommen. Ich weine nicht mehr und ich gehe auch ohne Wörterbuch aus dem Haus. Ich arbeite in meinem alten 35
Beruf, meine Kinder sprechen Deutsch so gut wie Russisch und wir entdecken jeden Tag schöne Dinge aus beiden Kulturen. Ich bin im Integrationsbeirat, mein Sohn ist im Fußballverein und wir haben russische und auch deutsche Freunde. Das war ein langer Weg, aber er hat 40
sich gelohnt.

5 Fünf Schritte. Arbeiten Sie mit dem Text.

✓ **Schon fertig?**
Verben und Gefühle. Suchen Sie Wörter im Text.

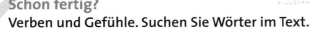

6 a) Kennen Sie die vier Phasen aus dem Text? Ordnen Sie zu.

Probleme und Heimweh: Phase ☐   angekommen: Phase ☐
Hoffnung: Phase ☐   weitermachen: Phase ☐

b) Wie waren Ihre ersten Schritte in der neuen Heimat? Erzählen Sie.
Oder: Sie interessieren sich für ein Leben in D A CH? Was wollen Sie wissen? Fragen Sie.

1. *Ich-Erzählerin ➤ Sie-Erzählerin (Zeile 1–12)*
2. *Rückblick: In der letzten Phase habe ich ... (Zeile 34–41)*
3. *Nacherzählung mit dass-Sätzen:* **Sie sagt, dass ...** *(Zeile 13–21)*
4. *Schreiben Sie eine W-Frage und stellen Sie sie im Kurs.*
5. *Interview. Finden Sie zu jedem Textabschnitt eine Frage.*

Anders als zu Hause

7 Wir haben Deutschlerner/innen gefragt: Was ist in D A CH anders?
a) Lesen Sie die Meinungen und beantworten Sie die Fragen.

1. Was machen die Menschen in Frankreich oft?
2. Wo sehen sich die Menschen oft auf der Straiße?
3. Wo hört man viel Lärm?

A

In Frankreich und Öster-
reich gibt es fast die gleichen
Probleme. Aber wir tun was:
Wir demonstrieren oder wir
streiken. Ich glaube, in
Österreich sind die Men-
schen vorsichtiger als in
Frankreich.
Francis Cabrel

B

In Pakistan sind die Men-
schen öfter auf der Straße
als in Deutschland. Für ein
Treffen muss man nicht
extra telefonieren. Man sieht
sich und spricht mitein-
ander. Alles ist ein bisschen
unkomplizierter.
Sajia Parveen

C

Ich wohne seit drei Jahren
in der Schweiz. Bei meinen
Eltern in Griechenland fällt
mir auf, dass es viel mehr
Lärm gibt als in der
Schweiz. Dort ist es ruhiger
als in Griechenland.
Eleni Kapelouzou

**b) Was denken Sie über die Aussagen?
Sprechen Sie im Kurs.**

> Ich denke, Sajia hat Recht.

> Das finde ich auch.

> Ich habe gemerkt, dass …

8 Vergleiche. Lesen Sie die Texte noch einmal und ergänzen Sie
die Sätze und die Regel rechts.

1. In Österreich sind die Menschen *vorsichtiger* als in
   Frankreich.

2. In Pakistan sind die Menschen *öfter* auf der Straße
   dann als in Österreich.

3. In der Schweiz ist es *viel mehr ruhiger als leiser* in Griechenland.

9 Wer ist …? Immer zwei Lerner/innen gehen nach vorn.
Fragen und antworten Sie.

Wer ist … groß – alt – jung? • Wer springt … hoch – schnell – weit?
Wer spricht … laut – leise? • Wer pfeift … lang?

> Wer ist größer?

> Pavel ist größer als Maria.

---

*Regel: Den Komparativ bildet
man mit der Endung*
_____ .

regelmäßig:
klein, leise ➤ kleiner, leiser als
mit Umlaut:
groß ➤ größer ⎫
lang, alt ➤ länger, älter ⎬ als
jung ➤ jünger ⎪
aber: hoch ➤ höher ⎭
auf -el/-er ohne -e:
dunkel, teuer ➤ dunkler,
teurer als
unregelmäßig:
gut ➤ besser ⎫
gern ➤ lieber ⎬ als
viel ➤ mehr ⎭

10 Noch mehr Vergleiche.
a) Markieren Sie die Komparative. Wie denken Sie darüber?

In der Türkei arbeiten die Menschen <u>genauso lange</u> wie in der Schweiz, aber sie sind von der Arbeit nicht so müde. Sie gehen danach in die Stadt und haben Spaß. Hier sind alle <u>gestresster</u>, vielleicht weil sie die Arbeit viel wichtiger finden.
Kamil Öztürk

In Deutschland haben die Menschen fast alles. Aber sie sind <u>unzufriedener</u> als auf Kuba. Dort können ein Kugelschreiber oder ein Paar Babysocken eine <u>große</u> Freude sein. In Deutschland lache ich nicht <u>so viel wie</u> auf Kuba.
Niurdy Hernandez

Die Menschen im Kosovo haben <u>genauso oft</u> frei wie in Österreich. Aber hier gibt es viele Vereine, Volkshochschulen und <u>mehr</u> Bibliotheken. Das Freizeitangebot ist in Österreich <u>besser</u>.
Albina Antoli

b) Lesen Sie die Texte noch einmal und ergänzen Sie die Sätze.

1. In der Türkei arbeiten die Menschen _genauso_ lange
   wie in der Schweiz.

2. In Deutschland lache ich nicht _so_ viel _wie_ auf Kuba.

3. Im Kosovo haben die Menschen _genauso_ oft frei _wie_ in Österreich.

11 Quizfrage. Wissen Sie es?

Was ist schwerer? Ein Kilo Federn oder ein Kilo Gold?

Ein Kilo Federn ist genauso schwer wie ein Kilo Gold.

12 Ist in Spanien alles besser? Ergänzen Sie den Dialog.

◦ Hier ist es so schön _als_ in Spanien. Aber leider ist das Wetter nicht _als so_ gut.

▪ Und man muss _länger_ (lange/+) arbeiten.

◦ Aber hier gibt es _viele mehr_ (+)Urlaubstage: 32 statt 30 Tage.

▪ Ja, aber es gibt _nicht weniger_ (=) Feiertage als in Spanien.

◦ Und man kann in Spanien auch _besser_ (gut/+) feiern.

▪ Ach, ich weiß nicht. Ich lache hier genauso viel _wie_ in Spanien.

13 Vergleichen Sie. Was gefällt Ihnen wo besser?

größer/kleiner als

genauso groß/klein wie

Miteinander leben

Wer hilft wem?

14 Ehrenamtliche Helfer und Helferinnen.
a) Schauen Sie sich die Bilder an. Was machen die Menschen?

b) Wer macht was? Hören Sie zu und ordnen Sie die Namen zu.

A: Ingrid • B: Günther • C: Annika • D: Rolf

1. ☐ hilft der Berliner Tafel.
2. ☐ liest den alten Leuten vor.
3. ☐ hilft den Kindern bei den Hausaufgaben.
4. ☐ schenkt dem Sportverein viel Zeit.

c) Pronomen im Dativ: *Wem* …? Ergänzen Sie die Sätze.

1. Ingrid geht ins Nachbarschaftshaus und die Kinder zeigen _ihr_

   die Hausaufgaben.

2. Günther trainiert die Kleinen und sie geben _____ viel Energie.

3. Viele Supermärkte unterstützen die Tafel und geben _____

   Lebensmittel.

4. Rolf mag die alten Leute. Sie erzählen _____ Geschichten von

   früher.

> **Verben mit Dativergänzung:**
> helfen • zeigen • erzählen • schenken • geben • bringen • vorlesen

> **Wem? – Pronomen im Dativ**
> ich: Hilfst du mir?
> du: Ich helfe dir.
> er/es: Ich helfe ihm.
> sie: Ich helfe ihr.
> wir: Könnt ihr uns helfen?
> ihr: Klar, wir helfen euch.
> sie/Sie: Ich helfe ihnen/Ihnen.

15 Einen Infotext verstehen.
a) Lesen Sie den Text. Die blauen Wörter sind rechts erklärt.
Ordnen Sie zu.

> **Ehrenamtliche Mitarbeiter/innen** bekommen kein oder nur sehr wenig Geld für ihre Arbeit. Sie wollen Menschen oder Tieren helfen und etwas Nützliches[1] tun. Jede/r Dritte in D A CH engagiert[2] sich in Vereinen, Initiativen[3] oder Kirchen. Viele junge Leute wollen nach der Schule nicht sofort eine Ausbildung anfangen oder studieren. Über 30 000 junge Menschen machen in Deutschland jedes Jahr ein **Freiwilliges**[4] **Soziales Jahr** (FSJ). Sie arbeiten oft in Krankenhäusern oder Pflegeheimen. Oder sie unterstützen ein Projekt im Ausland. Sie bekommen ein Zimmer, Essen und ein kleines Taschengeld[5].

> ☐ macht bei etwas mit
> ☐ man muss nicht, man will
> ☐ das ist gut für andere
> ☐ Wenig. Kinder bekommen es von ihren Eltern.
> ☐ organisierte Gruppen

b) Kennen Sie soziale Projekte oder ehrenamtliche Helfer?
Erzählen Sie im Kurs.

16 Wer? Wem? Was? Bilden Sie zwei Gruppen. Welche Gruppe schreibt in zwei Minuten die meisten Sätze mit Dativ und Akkusativ?

		Dativ	*Akkusativ*
Er	schenkt	ihr	Schokolade .

Wer?		*Wem?*	*Was?*
Die Lehrerin	*zeigen*	den Kindern	die Hausaufgaben
Ich	*bringen*	meinem Bruder/Vater/...	die Wohnung
Du	*schenken*	meiner Mutter	ein Buch/eine CD
Sie	*geben*	Tochter/Freundin/...	das Essen
Wir		mir/dir/euch/...	einen Kaffee
			Blumen ...

17 Grammatiktheater. Schreiben Sie die Satzteile auf Karton. Machen Sie das Buch zu und stellen Sie Sätze wie im Beispiel.

> Ich   helfe   mir   bei der Arbeit.
> dir   Ihnen   zeigt   ihm   Gibst
> du   schreibt   einen Brief.
> Ihren Arbeitsplatz.   die Butter?
> Meine Tante   Ihr Kollege

18 Das *r* im Auslaut nach *i*, *ie* oder *ih*. Hören und ergänzen Sie.

w___r, ____r, m___r, d___r, v___r

B___r, h___r, T___r,   Fotograf___r!

19 „Biete Kuchen, brauche Babysitter".

a) Hören Sie das Interview zweimal und ordnen Sie dann die Satzteile zu.

a) um den Preis • b) für das Backen „Talente" • c) mit Talenten oder mit Euro • d) eine Person einer zweiten oder dritten Person • e) dem Tauschring • f) B baut für A einen Schrank auf.

Wie funktioniert der Tauschring?
1. Beim Tauschring hilft ☐.
2. Zum Beispiel backt A einen Kuchen für C und bekommt ☐
3. Mit den Talenten bezahlt A Person B. Denn ☐
4. Man kann ☐ bezahlen.
5. Die Tauschpartner handeln ☐.
6. Man meldet sich im Internet an. Dann kann man
   bei ☐ mitmachen.

b) Kennen Sie einen Tauschring? Wie finden Sie die Idee?

Alle zusammen

20 Gründen Sie einen Tauschring. Was können Sie besonders gut? Was wollen Sie anbieten? Was brauchen Sie? Schreiben Sie Zettel und hängen Sie sie im Raum auf.

Name: _____

Biete: _____

Suche: _____

Ich kann gut Kuchen backen.

Super, ich brauche für meinen Geburtstag eine Torte.

21 Sätze bauen.

a) Sammeln Sie in einer 4er-Gruppe Satzteile auf einem großen Zettel.

b) Schreiben Sie Sätze wie im Beispiel. Eine/r fängt an und gibt den Zettel weiter. Variieren Sie.

Beispiel:

1.	*Wer?*	*Wem?*	*Was?*
	(Nominativ)	(Dativ)	(Akkusativ)
	Ich gebe	dir	das Buch.

2. *Wann?* Ich gebe dir morgen das Buch.

3. *Wann genau?* Ich gebe dir morgen früh das Buch.

4. *Noch genauer?* Ich gebe dir morgen früh um zehn Uhr das Buch.

5. *Wo?* Ich gebe dir morgen früh um zehn Uhr im Büro das Buch.

6. *Was genau ...?* Ich gebe dir morgen früh um zehn Uhr im Büro das neue Buch.

7. Modalverb: Ich kann dir morgen früh um zehn Uhr im Büro das neue Buch geben.

8. Nebensatz mit *dass*: Ich denke, dass ich dir morgen früh um zehn Uhr im Büro das neue Buch geben kann.

9. Nebensatz mit *ob*: Ich weiß nicht, ob ich dir morgen früh um zehn Uhr im Büro das neue Buch geben kann.

c) Jede Gruppe liest ihren Satz aus Schritt 7 vor. Korrigieren Sie ihn im Kurs. Dann schreiben Sie den Satz auf einen großen Zettel, zerschneiden ihn nach jedem Wort und legen die Teile in einen Umschlag.

d) Tauschen Sie die Umschläge in den verschiedenen Gruppen und legen Sie die Sätze wieder zusammen. Kontrollieren Sie gemeinsam.

Was ist das?

„Pfandtastisch" helfen

Im Supermarkt kann man einkaufen – und man kann Geld spenden. Mit seinen leeren Flaschen. Man wirft den Pfandbon in eine Spendenbox oder drückt eine Spendentaste und das Geld bekommen dann Hilfsorganisationen, wie z. B. die Berliner Tafel.

| 1. Austrinken | 2. Leergut abgeben | 3. Pfandbon lösen | 4. Spenden! |

Wofür engagieren Sie sich?

Jeder Dritte in Deutschland ist ehrenamtlich aktiv. Durchschnittlich 14 bis 21 Stunden im Monat engagieren sich die Menschen vor allem in der Sport- und Freizeitgestaltung, der Kinder- und Jugendarbeit, in ihrer Kirche, im Gesundheits- und Sozialbereich oder für Kultur und Bildung.

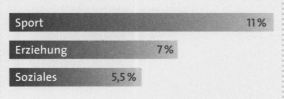

Sport	11 %
Erziehung	7 %
Soziales	5,5 %

Echt passiert

Ich sitze mit meinem kleinen Sohn im Café. Er wirft seinen Löffel auf den Boden. „Das macht man aber nicht", sagt eine Frau am Nachbartisch und sieht mich böse an. An einem anderen Tisch sitzt eine ältere Dame mit ihrem Hund. Sie gibt ihm immer wieder etwas von ihrem Kuchen. Direkt von ihrem Teller. Das finde ich eklig. Aber jetzt sagt die Frau vom Nachbartisch nur: „Was für ein süßer Hund." Ich frage mich: „Mag man Hunde hier lieber als Kinder?"
Silvia Mantula, Italien

Ich kann ...

über das Zusammenleben sprechen

Man protestiert, man diskutiert. Man streitet sich und man einigt sich.
Man hilft dem anderen. Man lässt den anderen in Ruhe.
In meinem Stadtteil wohnen viele Menschen. Sie möchten Ruhe haben. Das ist schwierig.
Hier gibt es viele Kinder und einen großen Spielplatz. Die Lage ist toll.
Der Alltag war schwierig. Die Sprache war ein Problem. Wir hatten Heimweh. Alles war anders.
Wir hatten keinen/wenig/viel Kontakt zu Deutschen/Schweizern/Österreichern.

etwas vergleichen

Ich glaube, in Österreich sind die Menschen vorsichtiger als in Frankreich.
In der Schweiz ist das Leben komplizierter/einfacher als bei uns.
In der Türkei arbeiten die Menschen genauso lange wie in der Schweiz.
In Deutschland lache ich nicht so viel wie auf Kuba.
Im Kosovo gibt es weniger/mehr Freizeitaktivitäten als in Österreich. Das Angebot ist besser/
schlechter.

Ich kenne ...

den Komparativ

regelmäßig: klein – kleiner, leise – leiser   auf -el/-er ohne *e*: dunkel – dunkler
mit Umlaut: groß – größer   stark – stärker   lang – länger   aber: hoch – höher
unregelmäßig: gern – lieber   viel – mehr   gut – besser

die Personalpronomen im Dativ

ich ➤ mir   er ➤ ihm   wir ➤ uns
du ➤ dir   sie ➤ ihr   ihr ➤ euch
                 es ➤ ihm   sie/Sie ➤ ihnen/Ihnen

Verben mit Dativergänzung

helfen, geben, zeigen, bringen, schreiben, vorlesen
Ich helfe dem Mann. Du hilfst der Frau. Ihr helft den Kindern.

Sätze mit Dativ und Akkusativ

		Dativ	*Akkusativ*
Der Sohn	schenkt	seiner Mutter	Blumen.
Wir	zeigen	euch	die Wohnung.
Bringst du		mir	einen Kaffee?

r im Auslaut nach *i, ie* und *ih*

Ihr vier seid hier und trinkt Bier mit mir.

► Und wie geht es weiter?

Die Fans freuen sich, dass ihre Mannschaft gewonnen hat.

begeistert/gespannt sein
sich freuen/ärgern, dass …
in einer Mannschaft spielen/trainieren
kämpfen/gewinnen/verlieren
Sport treiben/machen; Sport lieben/hassen

Interessierst du dich für Sport?
Was ist dein Lieblingssport?
Wer ist dein Lieblingssportler/deine Lieblingssportlerin?
Gibt es in deiner Heimat einen „Nationalsport"?

Sport

Treiben Sie Sport?

1 Sportarten.
a) Ordnen Sie zu.

☐ Fußball	☐ Schwimmen	☐ Basketball
☐ Volleyball	☐ Tanzen	☐ Fahrrad fahren
☐ Schach	☐ Laufen	☐ Kampfsport

b) Wie finden Sie die Sportarten? Welche kennen Sie noch? Sprechen Sie im Kurs.

Ich finde Fußball gut, weil man es in einer Mannschaft spielt.

Ich finde, dass Volleyball mehr Spaß macht.

Ich tanze gern.

Schach ist doch kein Sport.

Warum nicht? Denken ist anstrengend.

2 Sind Sie sportlich?
a) Hören Sie zu und ergänzen Sie die Tabelle.

	Welcher Sport?	Wo?	Mit wem?
Hakim:	Fußball	im Verein	
Olga:	keinen		
Jens:			
Teresa:			

b) Und Sie? Treiben Sie Sport? Sprechen Sie im Kurs.

> Ich treibe/mache gern/manchmal/nie/viel/zu wenig Sport.
> Ich liebe Sport. / Ich mag Sport (nicht).
> Ich spiele Fußball / Tennis / ... / Ich mache ... / Ich gehe ins Fitnessstudio / zum ...
> Ich kann ... / Ich trainiere einmal/zweimal ... in der Woche.
> Ich sehe gern Sportsendungen im Fernsehen.

über Sport sprechen ▪ über Fans sprechen ▪ einen Unfall melden
Nebensatz mit *wenn* ▪ der Superlativ: *am schnellsten, am höchsten, am besten*
Satzzeichen hören

3 **42,195 Kilometer.**
a) Was meinen Sie, was steht im Text? Lesen Sie die Überschriften und sehen Sie das Foto an. Sammeln Sie Ideen im Kurs.

b) Das ist neu. Unterstreichen Sie diese Wörter im Text und klären Sie sie im Kurs.
einen Marathon laufen ▪ die Herausforderung suchen ▪ der Nebeneffekt ▪ abnehmen ▪
anstrengend ▪ der Wettkampf ▪ die Krise

c) Hat Herr Yiğit den Marathon geschafft? Lesen und antworten Sie.

Ein tolles Gefühl!

Viele Menschen sagen, dass sie einmal im Leben einen Marathon laufen möchten, weil sie <u>die Herausforderung suchen</u>. Ismet Yiğit hat es in Berlin versucht. Er erzählt:

Ich wollte schon seit vielen Jahren einmal <u>einen Marathon laufen</u>, aber ich hatte nie Zeit. An meinem 40. Geburtstag habe ich gesagt: Jetzt mache ich
5 es!
Das Training war hart. Ich bin viermal pro Woche gelaufen. Oft habe ich mit Freunden trainiert, das hat mir sehr geholfen. So war ich immer motiviert. Na-
10 türlich braucht man etwas Zeit, aber zum Glück hat mich meine Frau von Anfang an unterstützt. Ein schöner <u>Nebeneffekt</u> beim Laufen ist, dass man beim Training <u>abnimmt</u>. Bei mir waren
15 es fünf Kilo und das hat meiner Frau sehr gut gefallen. Gut ist auch, dass man überall laufen kann. Ich fahre oft mit dem Fahrrad zu einem schönen Park in der Nähe. Dort laufe ich – aber immer nur abends. Ich kann gut

laufen, wenn es kühl ist. Wenn es warm ist, ist es sehr <u>anstrengend</u>.   20
<u>Der Wettkampf</u>tag war ein sehr warmer Septembertag. Das war nicht gerade ideal. Zuerst habe ich mich super gefühlt, aber nur bis Kilometer 21. Danach hatte ich <u>zwei Krisen</u>: Zuerst eine   25
im Kopf und dann auch eine körperliche. Es war einfach zu warm. Kurz vor dem Ziel hatte ich aber wieder Energie. Ich wollte unbedingt ankommen! Und dann das Ziel – das war das Schönste.   30
Ein toller Moment! Du bist fertig, aber du hast es geschafft. Du bist einen Marathon gelaufen, das ist super und du hast das Gefühl, du kannst alles schaffen.
Deshalb trainiere ich weiter. Ich will unbedingt noch   35
den New York- und den Istanbul-Marathon laufen!

4 **Fünf Schritte. Arbeiten Sie mit dem Text.**

✓ **Schon fertig?**
 1. **Möchten Sie einmal einen Marathon laufen? Warum (nicht)?**
 2. **Warum machen Sie (keinen) Sport? Schreiben Sie eine Liste mit Ihren Gründen.**

1. *Ich-Erzähler* ➤ *Er-Erzähler (Zeile 6–15)*
2. *Rückblick: Gut war auch, dass ... (Zeile 16–20)*
3. *Nacherzählung mit dass-Sätzen:* **Er sagt, dass ...** *(Zeile 21–29)*
4. *Schreiben Sie eine W-Frage und stellen Sie sie im Kurs.*
5. *Interview. Finden Sie zu jedem Textabschnitt eine Frage.*

5 **Warum ist Sport für Sie, Ihre Freunde oder Ihre Familien wichtig? Sprechen Sie im Kurs.**

Nach dem Sport geht es mir besser.

Mein Cousin spielt Fußball im Verein und hat jetzt viele Freunde.

Wenn du ein Fan bist ...

6 **Was machen Fans?**
a) Schauen Sie die Fotos an und sprechen Sie im Kurs.

b) Lesen Sie die Sätze.
Hören Sie und ordnen Sie einen Satz zu.

> *Ein Fan trägt immer einen Schal von seiner Mannschaft.*

1. Sie sehen jedes Spiel.
2. Sie sind Mitglied im Fanclub.
3. Sie gehen ins Stadion.
4. Sie kaufen Fanartikel.
5. Sie haben eine Dauerkarte.
6. Sie sehen die Sportschau und lesen die Spielergebnisse.

Interview A $\boxed{2}$ Interview B $\boxed{6}$ Interview C $\boxed{4}$
      1 3 2

7 **Und Sie? Sind Sie ein Fan? Testen Sie sich. Ergänzen Sie die Sätze aus 6 b) wie im Beispiel und antworten Sie mit ja oder nein.**

Nebensatz   Hauptsatz
Wenn Sie ein Fan sind,   (dann) sehen Sie jedes Spiel.
Hauptsatz   Nebensatz
Sie sehen jedes Spiel,   wenn Sie ein Fan sind.

8 **Was machen Fans, wenn ...? Schreiben Sie Sätze wie im Beispiel.**

 →

Die Mannschaft gewinnt.   Die Fans freuen sich.
Wenn die Mannschaft gewinnt, (dann) freuen sich die Fans.

 →

1. Die Mannschaft verliert.   Die Fans sind traurig.

 →

2. Es gibt keine Karten mehr. Sie sehen das Spiel im Fernsehen.

 →

3. Der Fernseher ist kaputt.   Sie sind wütend.

> *Was machst du, wenn es regnet?*

9 **Und Sie? Was machen Sie, wenn ...?**
Sprechen Sie mit Ihrem Partner/Ihrer Partnerin.

> *Wenn es regnet, bleibe ich zu Hause.*

Kaffee trinken • einen Kuchen backen • eine Tablette nehmen • aufräumen • eine Fahrradtour machen • viel trinken • ...

Der Unfall auf dem Sportplatz

10 Ein Unfall.
a) **Was ist passiert? Was denken Sie? Sprechen Sie im Kurs.**

Vielleicht ist sie Fahrrad gefahren und hingefallen.

Sie hat sich am Fuß verletzt. Vielleicht hat sie Fußball gespielt.

Sie hat ...

*sie ist (hin)gefallen/umgeknickt •
sie hat sich am Fuß/Bein verletzt •
sie hat sich das Bein/den Fuß
gebrochen*

27

b) **Hören Sie den Dialog und kreuzen Sie die richtige Antwort an.**

Jana hat Fußball gespielt. ☐
Sie musste ins Krankenhaus. ☐
Sie musste drei Wochen im Krankenhaus bleiben. ☐

28

11 **Lesen Sie die fünf Ws für jeden Notruf. Ordnen Sie den Dialog passend zur Reihenfolge der fünf Ws. Kontrollieren Sie mit der CD.**

Wer meldet den Unfall?
Was ist passiert?
Wo ist es passiert?
Wie viele Verletzte gibt es?
Warten auf Rückfragen!

☐ ‹ Kann Ihre Tochter noch laufen?
☐ ‹ Ja, wer spricht da, bitte?
☐ ‖ Nein.
☐ ‹ Ist noch jemand verletzt?
☐ ‖ Meine Tochter ist beim Volleyball umgeknickt.
☐ ‖ Nein, sie hat große Schmerzen.
☐ 1 ‖ Hallo, ist da der Rettungsdienst?
☐ ‹ Was ist denn passiert?
☐ ‖ Hier im Verein, Greuther Straße 7.
☐ ‖ Ute Bär.
☐ ‹ Wo ist der Unfall passiert?

Telefonnummern
Polizei:
  Ⓓ *110* Ⓐ *133* ⒸⒽ *117*
Feuerwehr:
  Ⓓ *112* Ⓐ *122* ⒸⒽ *118*
Rettungsdienst:
  Ⓓ *112* Ⓐ *144* ⒸⒽ *144*

12 **Rufen Sie den Notarzt. Denken Sie an die fünf Ws. Machen Sie Notizen und sprechen Sie den Dialog zu zweit.**

Sie sehen einen Mann auf der Straße liegen.
Er ist bewusstlos.

Sport

Wer ist am schnellsten?

13 Der Superlativ.
a) Lesen Sie die Beispiele und ergänzen Sie die Regel.

Tyson Gay ist schnell. Asafa Powell ist schneller.
Usain Bolt ist am schnellsten.

Man bildet den Superlativ mit *am* und der Endung:

_____ .

14 Vergleichen Sie im Kurs: Wer ist *groß*, wer ist *größer*,
wer ist *am größten*?

Wer ist klein, kleiner, am kleinsten?
Wer ist jung, jünger, am jüngsten?
Wer wohnt schon lange, länger, am längsten hier?
Wer kommt morgens früh, früher, am frühsten in die Schule?
…

> Ali ist größer als
> Amr. Dufu ist am
> größten.

15 Beim Sportfest. Wer läuft am schnellsten?
a) Ergänzen Sie die Namen.

_____ läuft schnell.
_____ läuft schneller.
_____ läuft am schnellsten.

b) Schreiben Sie Sätze wie in Aufgabe a).

schnell   hoch   weit

Superlative
schnell ➡ schneller ➡ am schnellst

mit Umlaut:
lang   ➡ länger   ➡ am längsten
hoch   ➡ höher   ➡ am höchster

nach d, t, s, x, z, ß mit e:
kurz   ➡ kürzer   ➡ am kürzester
alt   ➡ älter   ➡ am ältesten
aber:
groß   ➡ größer   ➡ am größten

unregelmäßig
gut   ➡ besser   ➡ am besten
viel   ➡ mehr   ➡ am meisten
gern   ➡ lieber   ➡ am liebsten

blau = Hanna   pink = Maria   gelb = Lisa

---

laufen
springen (ist gesprungen)

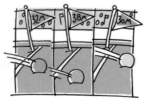

schwimmen
(ist geschwommen)
werfen
(hat geworfen)

16 Rekorde.

a) Schauen Sie die Fotos an. Was glauben Sie, was ist das Besondere an den Dingen und Personen? Sprechen Sie im Kurs.

Badmintonbälle sind sehr leicht.

Tischtennis ist ein schneller Sport.

Die Männer sind ...

b) Lesen Sie die Sätze und unterstreichen Sie die Superlative.

Haben Sie gewusst, dass ...
... der Badmintonball mit über 250 km/h der schnellste Ball ist?
... der längste Ballwechsel beim Tischtennis acht Stunden und
   33 Minuten gedauert hat?
... Laufen die älteste Sportart ist?
... der schwerste Sumo-Ringer 280 Kilo gewogen hat?
... der Vietnamese Tran Van Hay das längste Haar der Welt hatte?
   Es war 6,80 Meter lang und 10,5 Kilogramm schwer.

> **der/das/die** *(Sg.) + Superlativ:*
> ▬ *immer Endung* -e
> *der schnellste Ball*
> *das längste Haar*
> *die älteste Sportart*

c) Ergänzen Sie die Fragen und antworten Sie.

1. Welches ist der _____ Ball?

2. Wie lange hat der _____ Ballwechsel beim

   Tischtennis gedauert?

3. Was ist die _____ Sportart?

4. Wie viel hat der _____ Sumo-Ringer gewogen?

5. Wer hatte das _____ Haar?

17 Satzzeichen hören.

a) Lesen Sie laut und machen Sie Gesten für den Punkt (.), für das Komma (,) und für das Fragezeichen (?).

Warum braucht man Punkt, Komma und Fragezeichen? Weil man dann weiß, wo Pausen sind. Weil man hören kann, was eine Frage ist. Weil man einen Text dann besser versteht.

b) Hören Sie den Text. Machen Sie die Gesten. Dann hören Sie den Text noch einmal und ergänzen Sie die Satzzeichen in dem Text auf Seite 126.

Punkt

Komma

Fragezeichen

29

Alle zusammen

18 Sportarten raten. Sie denken an eine Sportart.
Die anderen fragen. Sie dürfen nur mit *ja* oder *nein* antworten.

das Netz   das Tor

der Schläger   der Korb

Spielt man das in
der Mannschaft?

Spielt man das
mit einem
Schläger?

Dauert das Spiel
90 Minuten?

19 Rekorde
a) Wer kann was besonders gut? Machen Sie einen Wettbewerb im Kurs.

Wer spricht am schnellsten ohne Fehler:
„Zwischen zwei Zwetschgenzweigen zwitscherten zwei Schwalben."

 Wer legt am schnellsten den Stift auf die andere Hand?

Wer kann in einer Minute die meisten Adjektive aufschreiben?

Wer kann am längsten mit geschlossenen Augen auf einem Bein stehen?

Wer kennt die meisten Sportler/innen mit „R"?

Wer spricht die meisten Sprachen?
Sagen Sie „Guten Tag!" in so vielen Sprachen wie möglich.

Wer kann am längsten pfeifen?

Wer kann ...?

b) Machen Sie ein Plakat mit Ihren Kursraum-Rekorden.

20 *Wenn*-Kette. Beginnen Sie einen Satz mit *Wenn* und ergänzen Sie einen Hauptsatz.
Der nächste macht aus Ihrem Hauptsatz einen *Wenn*-Satz und ergänzt einen neuen Hauptsatz
und so weiter ... Wie lange schaffen Sie das?

Beispiel: Wenn es regnet, kann ich nicht rausgehen.
Wenn ich nicht rausgehen kann, kann ich Deutsch lernen.
Wenn ich Deutsch lernen kann, wird mein Deutsch besser.
Wenn mein Deutsch besser wird, ...

So können Sie beginnen:
Wenn die Sonne scheint / ich früh aufstehe / ich (un)glücklich bin / ...

Fans auf Schalke

Mein Deutsch

Ich habe schnell verstanden, dass es für Schalke nur eine einzige Ortsangabe gibt. Man muss immer „auf Schalke" sagen, bloß nicht „in Schalke" oder „nach Schalke".

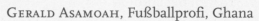

GERALD ASAMOAH, Fußballprofi, Ghana

aus: SZ Magazin, Nummer 30, 24.07.2009

Witzig

Ein Fußballspieler kommt nach Hause und erzählt stolz seiner Frau: „Ich habe heute zwei Tore geschossen!" Sie fragt: „Und wie ist das Spiel ausgegangen?" – „Eins zu eins."

Wissenswertes

Verlängert Sport das Leben? – Ja. Experten meinen, dass man sein Leben um drei bis fünf Jahre verlängern kann, wenn man regelmäßig Sport treibt.

Kann man über das Wasser laufen? Ja, aber nur, wenn man doppelt so schnell laufen kann wie Usain Bolt – also etwa 80 Kilometer pro Stunde.

Sprüche

Wer rastet, der rostet.

Sport ist Mord.

Dabeisein ist alles.
(Olympisches Motto)

Nach dem Spiel ist vor dem Spiel.
(Sepp Herberger)

Lieber ein Brett unter den Füßen als eins vor dem Kopf.
(Snowboardprofi)

Volltreffer!

Kein anderer Sport begeistert die Menschen mehr als Fußball. Es ist die beliebteste Sportart auf der Welt. Über 265 Millionen Menschen in 200 Ländern spielen Fußball. Der Vorteil ist, dass man es überall spielen kann. Der wichtigste Wettbewerb ist die Weltmeisterschaft. Alle vier Jahre spielen die besten Mannschaften um den Titel. Für viele ist Fußball dann viel mehr als ein Spiel. Und für Sie?

Ich kann ...

über Sport sprechen

Ich mache gern/manchmal/nie/viel/zu wenig Sport.
Ich liebe Sport. / Ich mag Sport (nicht). / Ich hasse Sport.
Ich spiele Fußball/Basketball/... / Ich mache ... / Ich gehe ins Fitnessstudio / zum ...
Ich kann gut ... / Ich trainiere einmal/zweimal ... in der Woche.
Ich sehe gern Sportsendungen im Fernsehen.
Wenn ich Sport treibe, fühle ich mich wohl.

Sportarten beschreiben

Volleyball spielt man in einer Mannschaft, aber Tennis spielt man allein.
Tischtennis spielt man mit zwei Schlägern und einem Ball.
Ein Fußballspiel dauert 90 Minuten.

Sportler vergleichen

Tyson Gay ist schnell. Asafa Powell ist schneller. Usain Bolt ist am schnellsten.
Lisa springt am höchsten.
Hanna wirft am weitesten.
Maria schwimmt am schnellsten.

Ich kenne ...

Nebensätze mit *wenn*

Nebensatz	Hauptsatz
Wenn Sie ein Fan sind,	(dann) sehen Sie jedes Spiel.

Hauptsatz	Nebensatz
Sie sehen jedes Spiel,	wenn Sie ein Fan sind.

den Superlativ

Maria ist am kleinsten, Pavel ist am größten und Dimitri ist am ältesten.

Der Badmintonball ist der schnellste Ball.

Laufen ist die älteste Sportart.

unregelmäßig:
gut – besser – am besten, viel – mehr – am meisten, gern – lieber – am liebsten

die Satzzeichen und kann sie hören

Warum braucht man Punkte, Kommas und Fragezeichen?
Weil man so weiß, wo Pausen und Fragen sind und wann ein Satz zu Ende ist.

> Was ist ein App?

> Ohne Handy gehe ich nicht aus dem Haus.

> Ob sie viel fernsieht?

> Natürlich haben wir eine Spielkonsole!

> Ich spiele jeden Tag drei Stunden am Computer.

> Fußball sehe ich am liebsten mit anderen zusammen.

Medien. Welche benutzen Sie? Wann, wie oft und wo?

Übungen ► Flexibel und mobil

Zu **1** Wer denkt was? Ergänzen Sie.

__ch mu___
h___te mit dem C___f
spre_____.

2.

Oh je, i___ kom___
zu sp___.

1.

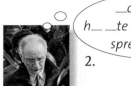

Petra ha__ ge___ern
ni___t angeru____. Sie
h__t z__ viel Str____.

3.

D___ Film g_____ern
w___ to___!

4.

Zu **2** Wer macht was? Schreiben Sie Sätze wie im Beispiel.

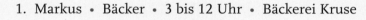

1. Markus • Bäcker • 3 bis 12 Uhr • Bäckerei Kruse

*Ich heiße Markus. Ich bin Bäcker. Ich arbeite jeden
Tag von drei bis zwölf Uhr in der Bäckerei Kruse.*

2. Matthias • Kfz-Mechatroniker • 8 bis 16 Uhr • Auto-Müller

3. Jan • Krankenpfleger • 14 bis 22 Uhr • Viktoria-Krankenhaus

4. Ursula • Haushaltshilfe • Mo + Do • 7 bis 14 Uhr • Familie Parker

5. Jenny • Sekretärin • 9 bis 17 Uhr • Meyer Verlag

Zu **3** Prüfungstraining

1) Lesen Sie die Fragen.

1. Wann muss Max anfangen?
2. Wo wohnt Max in Hamburg?
3. Wie viel verdient er?
4. Wie lange ist er gefahren?

2) Hören Sie und beantworten Sie die Fragen aus 1).

1. _____

2. _____

3. _____

4. _____

Zu 5 Plötzlich ohne Arbeit. Lesen Sie die Fragen. Finden Sie die Antworten im Text? Wo?

	Ja / Zeile	nein
1. Woher kommt Frau Rossini?	_____	☐
2. Wie alt ist sie?	_____	☐
3. Wann ist sie nach Deutschland gekommen?	_____	☐
4. Wo hat sie gearbeitet?	_____	☐
5. Wie war die Chefin?	_____	☐
6. Wie waren die Kollegen?	_____	☐
7. Als was arbeitet sie jetzt?	_____	☐

1 **Isabella Rossini** ist vor 25 Jahren aus Italien nach Deutschland gekommen. Sie hat bei der
2 Firma Quelle als Produktionshelferin gearbeitet. Sie hat gedacht: „Hier kann ich bis zur Rente*
3 arbeiten." Ihr Arbeitsweg war kurz, die Bezahlung gut und die Kollegen waren sehr nett.
4 25 Jahre, das ist eine lange Zeit. Aber jetzt gibt es Quelle nicht mehr und sie ist 51 Jahre alt –
5 zu früh für die Rente und zu spät für einen neuen Arbeitsplatz. Sie war früher nie bei der
6 Arbeitsagentur und jetzt ist sie fast jede Woche dort. Sie will wieder arbeiten – egal was und wo.

* die Rente: Pension, ab ca 65 Jahren

Zu 6 1) Arbeitswege. Wie kommen die Personen zur Arbeit? Beschreiben Sie wie im Beispiel. 📖 76

Max, Pendler • Wochenende • 🚗 • nach Hause • 600 Kilometer • ca. 7 Stunden

> *Max ist Pendler. Er fährt am Wochenende mit dem Auto nach Hause.*
> *Das sind 600 Kilometer und er braucht normalerweise ca. sieben Stunden.*

1. Maria, Studentin • jeden Tag • 🚲 • zum Deutschkurs • 5 Kilometer • 20 Minuten
2. Jenny • jeden Tag • 🚌 • ins Büro • halbe Stunde
3. Ursula • jeden Morgen • 🚶 • zur Arbeit • nur zehn Minuten
4. Jan • jeden Tag • 🚂 • ins Krankenhaus • 50 Kilometer • 1 Stunde

2) Normalerweise ..., aber heute ... Schreiben Sie Sätze wie im Beispiel.

Normalerweise braucht Max ca. sieben Stunden, aber heute hat er
neun Stunden gebraucht.

3) Sprachschatten. Hören Sie und reagieren Sie wie im Beispiel.

Ich fahre jeden Morgen 50 Kilometer zur Arbeit.

> *Was?! Du fährst jeden Morgen 50 Kilometer zur Arbeit?*

Zu **8** **1) Wer sagt was? Ordnen Sie zu.**

A Erzieherin • B Großvater • C Mutter • D Nachbarin • E Vater

1. „Ich möchte gern pünktlich sein. Aber das ist nicht einfach. Mein Mann ist oft unterwegs und ich arbeite halbtags in einem Büro. Da habe ich viel zu tun." ☐

2. „Viele Eltern kommen zu spät. Das ist für uns nicht schön. So müssen wir immer länger arbeiten." ☐

3. „Ich möchte mein Kind gern jeden Tag vom Kindergarten abholen. Aber ich bin oft beruflich unterwegs." ☐

4. „Ich hole mein Enkelkind jeden Tag vom Kindergarten ab. Meine Tochter und ihr Mann arbeiten beide Vollzeit. Sie können nicht um 15 Uhr am Kindergarten sein." ☐

2) Wer macht was? Schreiben Sie Sätze.

Erzieherin	Großvater	Mutter	...
Sie müssen länger arbeiten.			

Zu **10** **Gestern war ein toller Tag. Schreiben Sie einen Text.**

gut geschlafen • keinen Stress haben • Kollegen sind nett • viel lachen • Freunde sehen • Sport machen • Fahrrad fahren • Wetter ist schön • kochen • Musik hören • ...

Gestern war ein toller Tag. Ich ...

Zu **11** **Was sagen die Personen? Schreiben Sie *dass*-Sätze zu den Aussagen.**

Der Kindergarten schließt zu früh.
Sabine, 30

Die Großeltern sind sehr wichtig.
Heidrun, 70

Es gibt zu wenig Hortplätze.
Matthias, 40

Viele Eltern brauchen oft einen Babysitter.
Lara, 18

Mit Kindern hat man keine Freizeit mehr.
Jan, 32

Kinder und Beruf passen nicht zusammen.
Irene, 40

Sabine sagt, dass der Kindergarten zu früh schließt.

Der Kindergarten ist zu teuer.
Monika, 35

➕ **Wer denkt was? Schreiben Sie *dass*-Sätze zu den Aussagen.**

Sabine denkt, dass sie einen anderen Kindergarten braucht.

Zu **12** **1) Lina möchte … Was fragt sie? Ordnen Sie zu.**

1. Darf ich die Schuhe anziehen? ☐
2. Darf ich malen? ☐
3. Kann ich auch fernsehen? ☐
4. Bekomme ich ein Eis? ☐
5. Darf ich Cola trinken? ☐
6. Darf ich bei Lilli schlafen? ☐

2) Schreiben Sie *ob*-Nebensätze wie im Beispiel.

1. _Lina fragt, ob sie die Schuhe anziehen darf. Sie fragt, ob …_____
2. _____
3. _____
4. _____
5. _____
6. _____

Zu **16** **Der erste Arbeitstag von Max. Was sagt die Chefin? Wie ist was? Was hören Sie? Kreuzen Sie an.**

4

1. Ich habe einen	guten	☐	jungen	☐	neuen	☐	**Konditor.**
2. Er ist ein	netter	☐	ruhiger	☐	lauter	☐	**Mensch**
3. und ein	schneller	☐	freundlicher	☐	netter	☐	**Kollege.**
4. Er hat	tolle	☐	gute	☐	schöne	☐	**Ideen**
5. für	große	☐	neue	☐	kleine	☐	**Kuchen.**
6. Das ist eine	weite	☐	lange	☐	kurze	☐	**Fahrt.**
7. Er hat eine	schöne	☐	große	☐	kleine	☐	**Wohnung.**

Zu **17** **1) Luxus. Beschreiben Sie die Sachen.**

~~groß~~ • elegant • schnell • teuer • weiß

ein großes _____ _____ _____ _____ _____

Haus _____ _____ _____ _____ _____

2) Im Lotto gewonnen? Schreiben Sie mit den Formen aus a) Sätze wie im Beispiel.

Ich habe ein großes Haus.

Zu **18** **1) Max erzählt. Hören Sie und lesen Sie mit.**

Puh, das war eine anstrengend___ Woche. Ich habe viel gearbeitet und viele toll___ Kuchen

gebacken. Meine neu___ Kollegen sind sehr lustig. Und ich habe eine nett___ Chefin.

Ich habe in Hamburg eine schön___ Wohnung gemietet. Die Wohnung hat ein hell___ Zimmer,

eine klein___ Küche und ein klein___ Bad.

Aber es ist eine lang___ Fahrt von Hamburg nach Anklam. Mit meinem alt___ Auto ist das nicht

lustig. Gestern habe ich in einem lang___ Stau gestanden. Ich habe fünf Stunden gebraucht.

2) Ergänzen Sie die Endungen und hören Sie noch einmal. Wie viele sind richtig?

Zu **19** **Diese Adjektive sind falsch. Ergänzen Sie das Gegenteil.**

Ich sitze in einem ~~teuren~~ _____¹ Restaurant. Neben mir sind viele ~~leise~~

_____² Gäste. Sie haben einen ~~traurigen~~ _____³ Abend.

Ich trinke ein ~~kleines~~ _____⁴ Bier und esse eine ~~gute~~ _____⁵ Pizza.

Ein ~~junger~~ _____⁶ und ~~dünner~~ _____⁷ Kellner fragt, ob ich noch

etwas haben möchte. Ich sage: „Nein, danke. Ich möchte zahlen."

Lernwortschatz: Arbeit – Pendeln und Kinder

Eine Arbeit suchen

die Stellenanzeige: Ich habe schon alle
Stellenanzeigen gelesen.
die Stelle = der Arbeitsplatz
sich bewerben: Ich habe mich auf die Stelle
beworben.
die Vollzeitstelle – die Halbtagsstelle
die Arbeitsagentur: Ich habe einen Termin bei
der Arbeitsagentur.
fest: Ich suche eine feste Stelle.
unbefristet = ohne Ende
die Karriere: ... ich kann Karriere machen.
gut bezahlt: Die Arbeit ist gut bezahlt.
das Prozent: Die Arbeitslosenquote liegt bei
8 Prozent.
der Erfolg: Ich hatte Erfolg. Ich habe eine
Stelle als Konditorin gefunden.
der/die Sekretär/in: Ich suche eine Stelle als
Sekretärin in einem Büro.
der/die Angestellte: In der Firma arbeiten
eine Angestellte und ein Angestellter.
Es gibt zwei Angestellte.

Die Fahrt zur Arbeit

der/die Pendler/in: Wir sind Pendler.
pendeln: Ich pendle jede Woche zwischen
Hamburg und Berlin.
jeder-jedes-jede: Ich fahre jedes Wochenende
nach Hause.
unpraktisch ≠ praktisch
nah: Ist es weit? – Nein, ganz nah.
die Fahrt: Die Fahrt dauert mit dem Auto
mindestens drei Stunden – ohne Stau.
normalerweise: Normalerweise brauche ich
drei Stunden und 15 Minuten.
der Stau: Letzte Woche habe ich eine Stunde
im Stau gestanden.
die Ausrede: Das ist keine Ausrede.
die Wahl: Aber ich habe keine Wahl.
mobil sein: Heute muss man mobil sein.
typisch: Immer unterwegs, das ist typisch
für ihn.

Ein Arbeitstag

der Alltag – Jeder Tag ist gleich.
die Veranstaltung: eine Veranstaltung
organisieren
der Brief und die Briefmarke
das Dokument, die Dokumente = die Papiere
kopieren und nummerieren: Wir haben die
Dokumente kopiert und nummeriert.
aufschreiben = notieren: Ja, ich habe es
aufgeschrieben.
ordnen: So ein Chaos. Du musst die Papiere
ordnen.
Sie hat viel zu tun. = Sie hat viel Arbeit.
leicht ≠ schwierig

Glücklich

das Hobby: Sie hat ein schönes Hobby.
glücklich: Sie sagt, dass es sie glücklich macht.
die Landschaft: Wir leben in Bayern.
Die Landschaft dort ist wunderschön.
schön – wunderschön

Kinderbetreuung

alleinerziehend: Ich bin alleinerziehend.
das Baby – die Babys
verbinden: Du fragst, ob du Arbeit und Kinder
verbinden kannst.
beide: Wir müssen beide Kinder um 15 Uhr
abholen.
der/die Erzieher/in: Die Erzieherin wartet
schon.
der Hort: Meine Tochter geht jeden Nachmittag in den Hort.
schließen = zumachen: Wann schließt
der Hort in den Schulferien?
wechseln: Wir ziehen um und müssen
den Kindergarten wechseln.
der Tipp: Haben Sie einen Tipp für mich?

> 🌻 *Tipp*
>
> *Auch für die Adjektive sind die Artikel wichtig.*
> *Machen Sie Symbole* ✗ ❀ *oder ein* r, e
> *oder* s *an das Wort.*
> *der Regen* ✗ *das Kreuz* ❀ *die Blume*

Zu 1 Was vergeht schnell, was vergeht langsam? Ordnen Sie die Zeiten in die Grafik ein.

A: 3 Stunden Autofahrt in den Urlaub • B: 1 Stunde essen mit Freunden • C: 30 Minuten kochen • D: 2 Minuten Zähne putzen • E: 20 Minuten im Wartezimmer • ...

ganz schnell   schnell   mittel   langsam   sehr langsam

Zu 2 1) Ein Tag im All. Puzzeln und lesen Sie.

C

Es ist immer 45 Minuten hell, und dann ist es 45 Minuten dunkel.

B

müssen jeden Tag zwei bis drei Stunden Sport machen – so bleiben sie fit.

A

Die Astronauten stehen um sechs Uhr morgens auf. Sie arbeiten jeden Tag acht Stunden,

Astronauten haben einen genauen Tagesplan. Ihre Uhrzeit ist die Uhrzeit in Greenwich (England). Alles ist jeden Tag gleich.

D

Astronauten fliegen alle 90 Minuten einmal um die Erde. Das heißt: Tag und Nacht sind sehr kurz.

E

sie haben acht Stunden Freizeit und sie schlafen acht Stunden. Die Astronauten

F

E ☐ ☐ ☐ ☐ ☐

2) Lesen Sie noch einmal und beantworten Sie die Fragen.

1. Wie lange dauert für Astronauten eine Reise um die Erde? _____

2. Wie lange dauert ein Tag bei Astronauten? _____

3. Wie viel Freizeit haben die Astronauten? _____

4. Wie viele Stunden schlafen sie? _____

5. Wann stehen die Astronauten auf? _____

3) Wann treffen sie sich? Hören Sie die Dialoge und ergänzen sie die Sätze.

6

1. Sie treffen sich _____ am Bahnhof.

2. Wir treffen uns _____ in Münster.

3. ‹ Trefft ihr euch nicht morgen früh?
   ▮ Nein, ich treffe Melek erst _____.

> **Wissen Sie noch?**
> um = Uhrzeit
> am = Tageszeit/ Datum

Zu **3** Wie war Freitag, der 13. für Peter Müller? Schreiben Sie die Geschichte weiter.

Freitag 13 Juli

8 Uhr aufstehen • frühstücken • Zeitung lesen • es klingelt: Nachbarin mit ihrem Baby • Nachbarin aufgeregt: ihr Mann ins Krankenhaus kommen • sie fragt: „Können Sie auf das Baby aufpassen?" • Baby schreit fast ohne Pause • nach zwei Stunden kommt Nachbarin zurück • sie sagt: „Meinem Mann geht es besser" • Baby lacht • ich: müde sein, sofort schlafen gehen

Peter Müller (65), *Rentner*
„Das war vielleicht ein Tag! Das glauben Sie nicht. Ich bin ...

... um acht Uhr aufgestanden.
Ich habe ...

Zu **4** Fragen, *ob* ... und sagen, *dass* ... Schreiben Sie Sätze wie im Beispiel.

Am Freitag, dem 13. bleibe ich lieber zu Hause.
Claudia, 28

Ist Freitag, der 13. gefährlich?
Jana, 23

Freitag, der 13. ist ein ganz normaler Tag.
Dimitri, 61

Bringt Freitag, der 13. wirklich Unglück?
Tanja, 35

Ich mag Freitag, den 13. nicht.
Pavel, 30

Am Freitag, dem 13. mache ich keine Termine.
Anna, 42

Claudia sagt, dass sie am Freitag,
dem 13. lieber zu Hause bleibt.
Jana fragt, ob ...

Hat Lisa am Freitag, dem 13. Angst?
Li Gou, 38

Zu **6** Lesen üben. Lesen Sie den Text von Aufgabe 6 so ... 18

Bald ist wieder Zeitumstellung und wie jedes Jahr weiß ich nicht, ob ich die Uhr nun vor- oder zurückstellen muss. Zum Glück ändert sich die Uhrzeit immer in einer Nacht von Samstag auf Sonntag. Da ist das nicht so schlimm, denn ich muss nicht pünktlich aufstehen. Aber ich freue mich immer sehr auf die Sommerzeit. Dann kann ich mich nach der Arbeit noch mit Freunden treffen und es ist noch hell. Wir machen Sport, grillen, sitzen lange auf der Terrasse und unterhalten uns und auch abends ... Niemand will nach Hause, alle haben gute Laune, fühlen sich einfach wohl.

... und so:

Im Winter ist das anders, besonders nach der Zeitumstellung. Die Tage sind so kurz. Man zieht sich morgens im Dunkeln an und kommt abends im Dunkeln nach Hause. Meine Freunde und ich, wir treffen uns nicht mehr so oft. Sie bleiben lieber zu Hause und ich langweile mich oft.

Zu **7** **Sich treffen oder sich langweilen? Ergänzen Sie die Reflexivpronomen.**

‹ Ich fühle _____¹ heute nicht wohl. Ich langweile _____² sonntags immer.

▮ Du langweilst _____³? Wir haben Zeit. Sollen wir _____⁴ treffen?

‹ Ja, gern! Ich muss _____⁵ nur schnell duschen und _____⁶ anziehen.

  Wo kann ich _____⁷ treffen?

▮ Um drei im Café Blau? Da kann man _____⁸ gut unterhalten.

‹ Ok, dann treffen wir _____⁹ um drei. Ich freue _____¹⁰!

Lesen Sie den Dialog in Übung 7 noch einmal. Sie berichten einem Freund. Schreiben Sie Sätze.

Maria fühlt sich heute ... Sie langweilt sich ...
Pia und ihr Freund haben Zeit. Pia fragt, ob ...
Maria muss sich ...
Sie wollen sich um ... Da kann man ....

Zu **8** **Hören Sie und lesen Sie mit. Bei ✳ ergänzen Sie im Kopf das Reflexivpronomen.**

7

Ich langweile mich. Ich unterhalte ✳.
Du langweilst dich. Du unterhältst dich.
Sie langweilt ✳. Er unterhält ✳.
Wir langweilen ✳. Wir unterhalten uns.
Ihr langweilt euch. Ihr unterhaltet ✳.
Sie langweilen sich. Sie unterhalten sich.

Ich freue mich. Ich ändere ✳.
Du freust ✳. Du änderst ✳.
Sie freut sich. Er ändert ✳.
Wir freuen ✳. Wir ändern ✳.
Ihr freut euch. Ihr ändert ✳.
Sie freuen ✳. Sie ändern ✳.

Zu **10** **Wer macht was? Beschreiben Sie.**

(sich) die Haare waschen • (sich) freuen •
(sich) rasieren • (sich) schminken •
(sich) streiten • (sich) unterhalten

*Im Badezimmer wäscht sich der Sohn
die Haare und die Mutter ...
Im ersten Stock unterhalten ...*

Zu 11 1) **Lesen Sie den Zungenbrecher viermal langsam.**

Zehn zahme Ziegen ziehen zehn Zentner Zimt zum Zoo.

2) **Hören Sie und sprechen Sie mit.**

8

3) **Können Sie schneller sprechen als die Sprecherin auf der CD? Üben Sie.**

Zu 12 **Hören Sie die Sätze und ergänzen Sie den richtigen Buchstaben.**

9

1. __eit __wei Jahren habe ich ein Problem mit der __eitumstellung.

2. Wie viel be__ahl__t du für das __al__ ?

3. Ich bin schon __o lange nicht mehr im __oo gewesen.

4. Wir __elten leider nur __elten.

5. Der __ommer ist immer __uperkur__, __u kur__.

Zu 13 **Wie finden Sie den Sommer oder den Winter? Schreiben Sie einen Text.**

> **1. Abschnitt** (Einleitung – 1 Satz):
> den Sommer / den Winter schön / nicht schön / ... finden
> den Sommer / den Winter nicht / sehr mögen.
>
> **2. Abschnitt** (Warum? – 2 bis 3 Sätze)
> hell / dunkel / warm / kalt / langweilig ...
> Tage: lang / kurz / schön / ...
> viel / wenig Energie haben
> viel / wenig draußen / zu Hause / ... sein
>
> **3. Abschnitt** (Ende: 1 Satz)
> den Sommer / den Winter lieber als ... mögen

Ich mag den Winter. Er ...

Zu 15 *complain* **Herr Mecker meckert. Ergänzen Sie den Text. Dann hören und vergleichen Sie.**

10

Das Haus ist schrecklich. Der Müll steht im Treppenhaus
und ich muss __mich__ [1] immer __mit__ [2]
den Nachbarn streiten. Sie interessieren __sich__ [3]
überhaupt nicht __für__ [4] die Hausordnung.
Ihre Kinder machen Krach und ich ärgere __mich__ [5]
jeden Tag __über__ [6] sie. Die Haustür ist auch
kaputt. Ich habe den Hausmeister angerufen, aber ich warte
schon drei Stunden __auf__ [7] ihn. Unmöglich!

Zu **16** Ein Gedicht schreiben. Lesen Sie den Text. Ersetzen Sie die Wörter in Rot und schreiben Sie ein neues Gedicht.

Ich warte auf dich.
Ich freue mich auf dich.
Die Zeit vergeht langsam.
Wann kommst du?

Jetzt bist du da.
Ich interessiere mich für deine Worte.
Die Zeit rast.
Warum?

Zu **17** **1)** An der Haltestelle. Ergänzen Sie die Fragen.

sich ärgern über • denken an • sich interessieren für • warten auf

1. _Worauf wartest du?_ ?
Auf die S-Bahn. Schon seit 20 Minuten!

2. _Woran denkst du?_ ?
An meine Verabredung mit Ramón. Ob er wohl schon da ist?

3. _Wofür interessiert er sich?_ ?
Ramón? Nur für Fußball. Manchmal nervt das.

4. _Worüber ärgest du dich?_ ?
Über die S-Bahn. Immer hat sie Verspätung. Ich komme zu spät.

2) Worüber freut und ärgert sich Sabine? Und worauf freut sie sich? Antworten Sie.

1. 2. 3.

4. 5. 6.

1. Sabine ärgert sich ...

Zu **19** Frau Vergesslich geht aus dem Haus. Was fragt sie sich? Schreiben Sie die Fragen.

genug frühstücken? • waschen • schminken • Herd ausmachen • Schlüssel mitnehmen • Katze füttern

Habe ich genug gefrühstückt?

Lernwortschatz: Wie die Zeit vergeht

Wie die Zeit vergeht

die Sekunde: Es dauert nur 30 Sekunden.
vorgestern: Vorgestern war ich beim Arzt.
später: Ich muss später noch die Kinder abholen.
häufig: Er muss häufig auch abends arbeiten.
Zeit verbringen: Sie verbringen viel Zeit gemeinsam.
sich beeilen: Wir müssen uns beeilen!
passieren: Was ist jetzt passiert?
Energie: Im Winter habe ich keine Energie.
am Ende: Am Ende haben wir uns doch noch getroffen.
wachsen: Die Kinder wachsen und die Zeit vergeht.
sich ändern: Die Uhrzeit ändert sich.
Wir müssen die Uhr noch vorstellen/ zurückstellen.
die Nacht: Und schon ist es wieder Nacht.
einschlafen: Aber ich kann nicht einschlafen.

Jeden Tag

sich rasieren: Er rasiert sich zweimal in der Woche.
sich schminken: Ich schminke mich jeden Morgen. Ich muss gut aussehen.
wecken: Kannst du mich um sechs Uhr wecken?
begrüßen: Morgens begrüße ich den Tag.
sich kämmen: Hast du dich gekämmt?
schnarchen: Ich konnte nicht schlafen, Karl hat so laut geschnarcht.
der Einkauf: Wie war der Einkauf?
aufhängen: Ich muss die Sachen noch aufhängen.

Gute Laune – schlechte Laune

Worauf freust du dich?
sich freuen (auf): Ich freue mich auf das Wochenende.
sich freuen (über): Worüber freust du dich so?
sich wohl fühlen: Zu Hause fühle ich mich sehr wohl.

sich ärgern (über): Ich ärgere mich oft über den Müll (D) im Treppenhaus.
sich langweilen: Bei Regen langweilen wir uns.
meistens: Meistens ist das Wetter gut.
besonders: Aber am Sonntag regnet es besonders oft.
Laune: Hast du heute schlechte Laune?
wütend: Ja, ich bin wütend auf meinen Chef.
hoffen (auf): Nein, aber ich hoffe auf einen Anruf von Ina.
reagieren: Wie hat sie reagiert? – Schlecht.
weinen: Trotzdem musst du nicht weinen.
atmen: Atme ganz ruhig durch die Nase!

Sich interessieren für

das Geschenk: Ich muss noch ein Geburtstagsgeschenk für Ina kaufen.
sich interessieren (für), die Politik, niemand: Interessiert sich niemand für Politik?
sich verabreden (mit): Ich habe mich mit Ina verabredet.
sich unterhalten (über/mit): Worüber unterhältst du dich mit Ina?
der Ausflug: Wir unterhalten uns über unseren Ausflug nach Fürth.
das Gedicht: Ich kann keine Gedichte schreiben.

Berufliches

der/die Rentner/in: Sie hat als Erzieherin gearbeitet. Jetzt ist sie Rentnerin.
die Rente: Sie ist vor zwei Jahren in Rente gegangen.
die Nachricht und der Anrufbeantworter: Hast du die Nachricht auf dem Anrufbeantworter gehört?
die Notiz: Ich habe eine Notiz geschrieben.
aufräumen: Hast du das Büro schon aufgeräumt?
leer: Ja, jetzt ist der Schreibtisch ganz leer.
die Pause: Mach mal wieder eine Pause!
ankommen: Wann kommen Sie am Flughafen an?

Zu **3** **Das Leben von Tanja Schröder. Schreiben Sie Sätze wie im Beispiel.**

zur Theodor-Heuss-Schule gehen • Tennis spielen • heiraten • ein Haus bauen •
zwei Kinder bekommen • als Köchin arbeiten

Tanja Schröder ist zur Theodor-Heuss-
Schule gegangen. Sie hat ...

Zu **4** **1) Jedes dritte Wort fehlt. Ergänzen Sie und kontrollieren Sie mit der CD.** 27

11

Als ich _____ Kind war, _____ ich oft _____

Hause helfen. _____ 14 Jahren _____ ich von

_____ Fahrrad geträumt, _____

wir hatten _____ Geld.

Als ich _____ war, musste _____ zur Armee. _____

Krieg war _____ schlimme Zeit.

_____ habe ich _____ Frau kennengelernt _____ wir

haben _____ Kinder bekommen.

Die 60er _____ 70er Jahre _____ vor allem

_____ : Arbeit bei _____ Stadt als _____ ,

Haushalt, Kinder, _____ .

Seit 1983 _____ ich nun _____ Rentner. Am Anfang

_____ meine Frau _____ ich sehr _____

verreist. Dann _____ meine liebe *Frau* _____ nach 67 _____

Ehe leider _____ . Das war _____ . Ich wohne

_____ bei meinem _____ im Haus _____

genieße das _____ .

2) Wortfeld *Mein Leben*. Lösen Sie das Kreuzworträtsel.

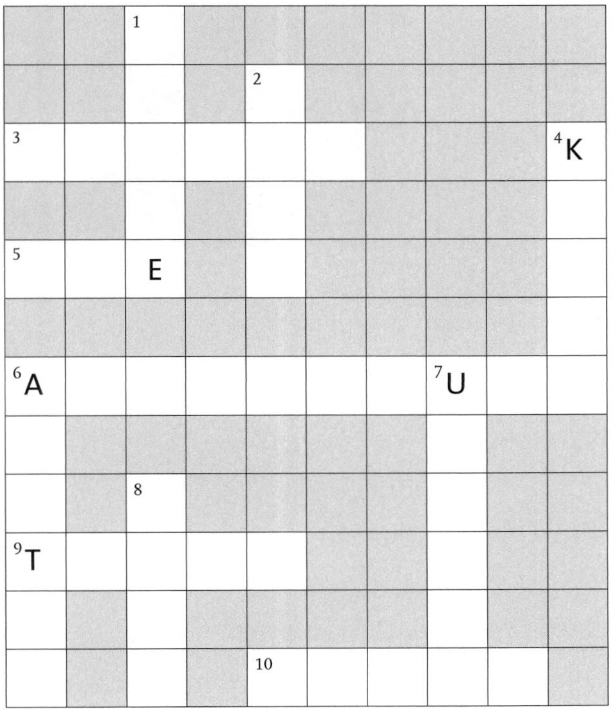

		¹						
			²					
³							⁴K	
⁵		E						
⁶A					⁷U			
	⁸							
⁹T								
		¹⁰						

Waagerecht: →
3 Hanni und Willi haben zwei ... bekommen.
5 Hanni ist nach 67 Jahren ... gestorben.
6 Bei der Stadt hat Willi eine ... zum Fahrer gemacht.
9 Mit 14 war ein Fahrrad sein großer ...
10 Sein ... war Fußball spielen.

Senkrecht: ↓
1 Seit 1983 ist er in ...
2 Als Kind hatte er wenig ...
4 Der ... war eine schlimme Zeit.
6 Die 60er und 70er Jahre waren vor allem ...
7 Sie haben in Marokko, Tunesien und auf Zypern und Mallorca ... gemacht.
8 Als er ein ... war, war Europa noch ein Dorf.

Das Leben ist aufregend. Was passt zusammen? Verbinden Sie und schreiben Sie Sätze.

1. das Leben   a. nutzen
2. Spaß   b. genießen
3. im Chor   c. sammeln
4. Briefmarken   d. spielen
5. das Internet   e. singen
6. Fußball   f. haben

Ich habe viel Spaß mit meinen Freunden.

Zu 6 Beschreiben Sie Ihr Leben. Schreiben Sie einen Text.

Geboren: Wann? Wo?
Gespielt: Wo? Mit wem? Was?
Zur Schule gegangen: Wo? Wie lange?
Eine Ausbildung gemacht: Wo? Als was?
Gearbeitet: Wo? Wie? Als was?
Familie: Kinder? Verheiratet?
Hobbys: Was? Wo?

Ich bin am 7. Januar 1975 in Bern geboren. ...

Zu **8** Schreiben Sie Sätze in der Vergangenheit mit *als* wie im Beispiel.

Simon ist in der Schule.   Er macht viel Sport.
Isabella ist sechs Jahre alt.   Sie spielt Klavier.
Söngül ist neu in der Klasse.   Sie findet schnell neue
                                  Freunde.

Tim ist fünf Jahre alt.   Er liest gern Comics.
Natalie ist zwölf Jahre alt.   Sie geht jeden Tag mit
                                  ihrem Hund spazieren.

Der Lehrer ist 32 Jahre alt.   Er heiratet seine Freundin.

Als Simon in der Schule war, hat er viel Sport gemacht.

Zu **10** 1) **Ausreden. Welches Modalverb passt? Ergänzen Sie.**

können • wollen • müssen

‹ Warum bist du nicht gekommen? Ich habe eine Stunde auf dich gewartet!

▌ Ich _____[1] ja kommen, aber ich _____[2] gestern nicht ausgehen.

‹ Warum _____[3] du nicht ausgehen?

▌ Eine Freundin hat angerufen. Sie _____[4] sofort reden. Sie hatte Streit mit ihrem Freund.

‹ Warum?

▌ Er _____[5] nicht ins Kino mitkommen.

2) **Vergleichen Sie Ihre Lösung mit der CD.**

12

3) **Sprachschatten. Hören und reagieren Sie wie im Beispiel.**

13

Wir mussten das Auto waschen.

Was?! Ihr musstet das Auto waschen?

Zu **11** 1) **Kindheit. Ergänzen Sie die Satzanfänge.**

Als ich ein Kind war,	wollte durfte konnte musste	ich (nicht)	...

2) Familiengeschichten. Ergänzen Sie die Modalverben.

1. Tim: Mit neun _____¹ ich ein Einzelkind sein, denn ich _____² immer auf meine Geschwister aufpassen und das war ziemlich anstrengend.

2. Katrin: Ich _____³ immer einen großen Bruder haben, aber ich hatte leider keine Geschwister.

3. Gunther: Meine Frau _____⁴ schon sehr früh Kinder haben, aber ich _____⁵ mich nicht entscheiden. Ich _____⁶ kein alter Vater sein, aber jetzt habe ich mit 47 einen Sohn bekommen.

4. Marianne: Ich _____⁷ immer viele Enkelkinder haben, aber mein Sohn _____⁸ keine Kinder bekommen.

Prüfungsvorbereitung

Lesen, Teil 3
Lesen Sie die Situationen 1–4 und die Anzeigen a–f. Finden Sie für jede Situation die passende Anzeige. Für zwei Anzeigen gibt es keine Lösung.

1. Sie suchen eine Haushaltshilfe zum 5. Mai.
2. Sie suchen eine Musikgruppe für Senioren.
3. Sie suchen eine billige Nachhilfe in Mathematik für Ihre Tochter.
4. Sie sind gerade in die Stadt gezogen und brauchen eine Betreuung für Ihre Kinder.

a.

Putzkraft sucht ab 1. Juni neue Stelle. Kontakt: 83 22 45

b.

Nachhilfekurse in Deutsch, Mathematik und Englisch ab 300,– Euro im Monat. Rufen Sie an unter: 76 21 98 33

c.

Großelterndienst sucht Familien und ältere Personen zum gegenseitigen Kennenlernen und Betreuen der Kinder.
E-Mail: großelterndienst@info.de

d.

Sie sind über 60, fit und musikalisch? Dann machen Sie doch mit in unserer Trommelgruppe. Wir treffen uns jeden Dienstag von 15:00–17:00 Uhr im Seniorenklub Neumarkt. Tel. 873 29 90

e.

Suche neue Putzstelle ab sofort. Tel: 772 26 61

f.

Studentin bietet preiswerte Nachhilfe in Mathematik, *Tel.: 112 00 30*

Zu **15** Eine Radiosendung.

1) Hören Sie und lesen Sie laut mit.

14

◂ Sie haben also beim Großelterndienst angerufen und dann gleich eine Familie bekommen?

▮ Ja. Wir haben uns alle dort getroffen und ich habe mich gleich in Paul verliebt. Das war vor sechs Jahren. Da war er noch ein Baby.

◂ Sechs Jahre haben Sie schon Kontakt zu Ihrer Leihfamilie? Das ist eine lange Zeit. Da gehören Sie ja schon zur Familie, oder?

▮ Ja, jeden Montag hole ich Paul von der Schule ab und wir haben unseren gemeinsamen Nachmittag. Manchmal schläft er auch bei mir. Und natürlich komme ich zu den Geburtstagen.

◂ Und was machen Sie so?

▮ Wir backen, gehen auf den Spielplatz oder lesen zusammen Geschichten.

> **Tipp**
> *Die Dialoge in den Übungen selbstständig zum Mitsprechen nutzen.*

2) Was fehlt? Legen Sie ein Blatt auf den Text in 1) und ergänzen Sie die Sätze.

1. Frau Bräuer hat _____ _____ angerufen.

2. Sie hat sich _____ _____ verliebt.

3. Sie hat seit sechs Jahren _____ _____ ihrer Leihfamilie.

4. Sie holt Paul jeden Montag _____ _____ _____ ab.

5. Und sie kommt _____ _____ _____ .

✚ Schreiben Sie weitere Sätze.

anrufen bei • sich verlieben in • Kontakt haben zu • abholen von • kommen zu

Zu **18** Hören Sie die Sätze. Markieren Sie den Wortakzent. Welches Betonungszeichen passt?

15

A: Als ich ein Kind war, wollte ich immer draußen spielen.
B: Ich habe meinen Führerschein erst mit vierzig gemacht.

Satz A:

1. ☐ . . . . — . — —
2. ☐ . . — — . — — —
3. ☐ . . . . — . — — .

Satz B:

1. ☐ . — — — . — . .
2. ☐ — — . — . . — —
3. ☐ . — — . . . — —

Lernwortschatz: Alt und Jung

Generationen

erwachsen (sein): Ist man mit 18 Jahren schon erwachsen?

die Jugend: Die Jugend von heute – was heißt das eigentlich?

die Ehe: Sie waren lange verheiratet und ihre Ehe war glücklich.

der/die Enkel/in: Ich wollte viele Enkel haben. Aber meine Tochter konnte keine Kinder bekommen.

stolz (auf etwas/jemanden … sein): Ich bin stolz auf meine Kinder.

der Krieg: Diese Generation hat den Krieg erlebt.

erreichen/schaffen: Sie hat im Leben viel erreicht/geschafft.

der Alltag: Die 70er Jahre waren vor allem Alltag.

genießen: 90 Jahre – na und? Ich habe das Leben genossen, und ich genieße es noch.

sterben: Ich bin noch nicht gestorben.

hart: Das Leben war hart, aber schön.

Kindheit

träumen (von): Als er 13 war, hat er von einem Fahrrad geträumt.

als: Als ich ein Kind war, …

das Dorf: Als ich ein Kind war, haben wir auf dem Dorf gelebt.

von oben: Ich habe das Meer von oben gesehen.

lügen: Das ist nicht wahr, du lügst! – Nein, ich habe nicht gelogen.

die Erinnerung: Wir haben schöne Erinnerungen an die Kindheit. – Ja, diese Kindheitserinnerungen.

das Abitur (D)[1]: Ich hoffe, du schaffst das Abitur.

das erste Mal: Mit 16 Jahren durfte ich das erste Mal allein ausgehen.

ausziehen: Wann bist du zu Hause ausgezogen? – Mit 20.

das Erlebnis: Das war ein ziemlich spannendes Erlebnis.

die Oberschule: Ich bin neun Jahre zur Oberschule gegangen.

still sitzen: Wir mussten immer still sitzen.

1 die Matura (A, CH)

Aktiv sein

der Chor: Wir singen im Chor.

die Gruppe: In Gruppen hat man viel Spaß.

anbieten: Die Stadt bietet einen Großelterndienst an.

vermitteln: Sie vermitteln Leihomas an Alleinerziehende.

sich gebraucht fühlen: Beim Großelterndienst fühle ich mich gebraucht.

aktiv sein: Ist man aktiv, bleibt man jung.

der/die Helfer/in und das Projekt: Viele Helfer unterstützen das Projekt.

interessiert (an): Sie ist an dem Projekt interessiert.

unterstützen: Unterstützt du das Projekt?

deshalb: Ja, ich finde die Idee gut. Deshalb unterstütze ich sie.

sich verlieben: Sie hat sich gleich in Paul verliebt.

Spielplatz: Ich gehe mit Paul oft auf den Spielplatz.

Tipp

Lernen Sie zusammen:

Mit 6 Jahren …	konnte	
Mit 14 Jahren …	wollte	
Mit 20 Jahren …	musste	ich …
Mit … Jahren …	durfte	

Zu 1 Die Wohnung einrichten.

1) Sie haben einen Gutschein für ein Möbelhaus bekommen. Kaufen Sie ein.

für das Schlafzimmer	für das Wohnzimmer	für die Küche
ein großes Bett	einen Teppich	einen neuen Herd

2) Beschreiben Sie Ihre Wohnung.

Im Schlafzimmer steht jetzt ein großes Bett und ...

Zu 4 Feng Shui. Was hat Monika Berger gemacht? Beschreiben Sie die Bilder. 37

Möbel umstellen • Wände streichen • Sachen wegwerfen • ein Tuch vor das Regal hängen

Monika Berger hat die Wohnung neu eingerichtet: Zuerst hat sie ...

Zu 7 Wo steht, liegt oder hängt was?

die Tasse • die Zeitung • das Buch •
der Schlüssel • das Bild • das Tuch •
die Vase • die Brille • der Hund

Die Tasse steht im Regal.

Zu 8 Eine schnelle Katze. Hören Sie und reagieren Sie wie im Beispiel.

Hängt die Katze an der Gardine?

Nein. Aber sie hat an der Gardine gehangen.

Zu **10** 1) **Maria hat aufgeräumt. Was hat sie gemacht? Wo sind die Sachen jetzt?**

das Katzenklo

legen • stellen • hängen • setzen

1. Maria hat die Handtücher *ins Regal gelegt.*   .
2. Sie hat die Zeitung ~~auf dem Fernseher gelegt.~~   *auf den Fernseher gelegt*   .
3. Sie hat die Hose ~~in dem Schrank gehängt.~~   ~~auf~~ *"den Schrank gehängt*   .
4. Sie hat die Blumen ~~auf dem Tisch gestellt~~   *auf den Tisch gestellt*   .
5. Sie hat die Katze ~~in den in den Katzenklo gesetzt.~~   *auf den Katzenklo gesetzt*   .

liegen • stehen • hängen • sitzen

6.   *Die Handtücher liegen im Regal.*   .
7. *Die Zeitung liegen auf den Fernseher.*   .
8. *Die Hose hängt in dem Schrank*   .
9. *Die Blumen stehen auf dem Tisch.*   .
10. *Die Katze sitzt auf dem Katzenklo*   .

2) **Tisch decken! Was sagt die Mutter zu den Kindern? Schreiben Sie.**

stellen *legen*	Teller Gabeln Messer Gläser	auf in links/rechts neben	Tisch Teller	

Kevin und Janis, deckt bitte den Tisch. Stellt die Teller auf ...

Stellt die Teller auf den Tisch. Legt die ...

Zu **11** **Eine Woche.**

1) **Wohin gehen Sie am ...? Schreiben Sie.**

der Zoo • der Park • das Stadion • die Sprachschule • das Kino ...

Am Montag gehe ich ins Kino.

2) **Wo waren Sie?**

Am Montag war ich im Kino.

Zu **12** **Ein s oder ß? Ergänzen Sie den Satz. Hören Sie und sprechen Sie nach.**

17

__ie hei__t __u__anne und i__t __o __ü__.

Zu **13** **1)** **Einen Mietvertrag verstehen.**
Lesen Sie den Vertrag und beantworten Sie die Fragen.

1. Wer ist der Vermieter?_____

2. Wo ist die Wohnung?_____

3. Wie groß ist die Wohnung und wie viele Zimmer hat sie?_____

4. Wie viele Schlüssel bekommen die Mieter?_____

5. Wie teuer ist die Wohnung?_____

Mietvertrag

Der (Die) Vermieter   _Wohnungsbaugesellschaft Reinhardt GmbH_____
wohnhaft in   _Frankfurter Str. 107, 63736 Aschaffenburg_____
und der (die) Mieter   _Hanno Fleckenstein_____
schließen folgenden Mietvertrag:

§ 1 Mieträume
1. Im Haus _63739 Aschaffenburg, Würzburger Str. 3, 2. OG_____ (Ort, Straße, Haus-Nr., Etage)
   werden folgende Räume vermietet:

   _2_ Zimmer, _1_ Küche, _1_ Bad/Dusche/WC, _____ Bodenräume/

   Speicher Nr. _____ , _1_ Kellerräume Nr. _8_ , _1_ Garage / Stellplatz, _____

   Garten, _____ gewerblich genutzte Räume

2. Der Mieter ist berechtigt, Waschküche, Trockenboden, _Garten_ gemäß der Hausordnung mitzubenutzen.

3. Dem Mieter werden vom Vermieter für die Mietzeit ausgehändigt:

   _2_ Haus-, _2_ Wohnungs-, _2_ Zimmer-, _____ Boden-/Speicher-,

   _1_ Garagen-Schlüssel.

4. Die Wohnfläche beträgt _52_ m².

§ 2 Mietzeit
Das Mietverhältnis beginnt am: _01. 09. 2010_ , es läuft auf unbestimmte Zeit.

§ 3 Miete
1. Die Miete beträgt monatlich: _465_ Euro.

2) **Was passt zusammen? Verbinden Sie. Es gibt mehrere Möglichkeiten.**

1. Wände   a) aufbauen
2. eine Wohnung   b) umstellen
3. ein Bild   c) streichen
4. ein Regal   d) renovieren
5. ein Sofa   e) aufhängen
6. eine Leiter   f) aufstellen

Prüfungsvorbereitung

Sprachbausteine. Was kommt in die Lücke: a, b oder c? 40

Lieber Merhad,
schön, dass du _1_ gemeldet hast. Toll, dass _2_ alte Wohnung jetzt renoviert ist. Ja, das ist alles sehr _3_ . Ich möchte auch ein bisschen _4_ . Vielleicht können wir zusammen ins Möbelhaus fahren und ich kaufe _5_ für die neue Wohnung?
Beim Umzug kann ich leider _6_ mitmachen. Du weißt ja, mein Rücken macht Probleme.
Pass auf dich auf und falle nicht noch einmal von _7_ Leiter. Simay _8_ sie gut festhalten. ☺
Bitte grüße sie ganz lieb.
Dein Papa

1. a) ☐ mich   b) ☐ uns   c) ☐ dich
2. a) ☐ eure   b) ☐ unseren   c) ☐ das
3. a) ☐ billig   b) ☐ teuer   c) ☐ bequem
4. a) ☐ helfen   b) ☐ fragen   c) ☐ tragen
5. a) ☐ nichts   b) ☐ etwas   c) ☐ alles
6. a) ☐ doch   b) ☐ aber   c) ☐ nicht
7. a) ☐ der   b) ☐ die   c) ☐ das
8. a) ☐ kann   b) ☐ darf   c) ☐ soll

18

3) **Der Umzug. Ergänzen Sie den Text. Kontrollieren Sie mit der CD.**

◄ Stellen Sie bitte die Kartons mit einem grünen Punkt _____¹ Wohnzimmer. Passen Sie bitte auf! Die Pflanzen müssen Sie vorsichtig _____ _____² Balkon tragen.

▌ Und die Regale? _____³ sollen wir die stellen?

◄ Die Regale sollen _____⁴ Arbeitszimmer. Ah, und das sind Teile von unserem Bett. Das Bett und den Schrank bringen Sie bitte _____⁵ Schlafzimmer.

▌ _____⁶ finden wir das?

◄ Es ist das dritte Zimmer _____ _____⁷ linken Seite. Stellen Sie den Schrank dort bitte _____ _____⁸ Wand _____ _____⁹ Fenster. Das Bett soll dann _____ _____¹⁰ Wand _____¹¹ Tür stehen.

▌ Wir haben noch Kisten mit einem roten Punkt. _____¹² sollen wir die stellen?

◄ Umzugskisten mit einem rotem Punkt tragen Sie bitte _____ _____¹³ Küche. Die Teller kommen _____ _____¹⁴ Schrank und das Besteck legen Sie _____ _____¹⁵ Schublade.

Was hat Simay gesagt? Schreiben Sie Sätze wie im Beispiel.

Sie sagt, dass wir die Kartons mit einem grünen Punkt ins Wohnzimmer stellen sollen.

> Was sollen wir machen?

19

4) Karaoke. Hören Sie Rolle 1 und sprechen Sie Rolle 2.

Rolle 1: ...
Rolle 2: Wir wollen am 23. August umziehen.
          Geht das an dem Termin?
Rolle 1: ...
Rolle 2: Von der Müllerstraße in die Waldemarstraße.
Rolle 1: ...
Rolle 2: Die erste Wohnung liegt im 2. Stock. Die zweite
          Wohnung im 4. Stock. Es gibt aber keinen Lift.
Rolle 1: ...
Rolle 2: Wir brauchen ungefähr 40 Kisten.
          Bekommen wir die von Ihnen? Und wie teuer ist das?
Rolle 1: ...
Rolle 2: Gut, dann möchte ich den Termin reservieren.

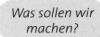

5) Eine Kündigung schreiben.
Sie wollen ausziehen. Schreiben Sie an die Hausverwaltung DeGoWa.

Denken Sie an: Adresse (Empfänger und Absender)
                 Ort und Datum
                 Betreff
                 Anrede und Gruß

Info
*Als Mieter müssen
Sie drei Monate vor
Ihrem Umzug kündi-
gen. Das müssen Sie
schriftlich machen,
mit Datum und
Unterschrift.*

_____ Herr _____,
hiermit kündigen wir den Mietvertrag für die Wohnung
_____,
fristgerecht zum 31. _____.

Lernwortschatz: wohnen, umziehen und renovieren

Eine Wohnung einrichten

das Kissen (D, CH)[1]: Auf dem Sofa liegt ein rotes Kissen.

der Kamin: Im Wohnzimmer gibt es einen Kamin.

gemütlich: Das ist sehr gemütlich.

hängen: Das Bild von Papa habe ich ins Wohnzimmer gehängt.

das Rollo: Das Rollo macht das Zimmer dunkel.

bunt: So viele Farben! Du hast eine bunte Wohnung.

die Möbel umstellen: Ich habe meine Möbel umgestellt.

die Ordnung: Ich brauche Ordnung – alles muss aufgeräumt sein.

wegwerfen: Ich habe meine alten Sachen weggeworfen.

kühl und wirken: Blaue Wände wirken kühl, gelbe wirken warm.

das Tuch: Das Tuch hängt vor dem Regal.

gegenüber: Gegenüber der Tür steht mein Bett.

umräumen: Ich habe das Zimmer umgeräumt. Jetzt steht das Bett in der Ecke.

stellen: Ich habe die Pflanzen ins Wohnzimmer gestellt.

setzen und die Puppe: Maria hat die Puppe aufs Bett gesetzt.

legen: Ich lege das Buch auf den Tisch.

verändern: Ich habe in der neuen Wohnung viel verändert.

aufstellen: Ich habe das neue Regal aufgestellt.

1 der Polster (A)

Wir ziehen um

der Umzug: Wann ist der Umzug? – Am Samstag.

packen und die Kiste: Habt ihr schon die Kisten gepackt?

der Karton und der Lkw: Alle Kartons sind schon im Lkw.

verstecken: Ich finde den Mietvertrag nicht. Wo hast du ihn versteckt?

gratis: Es ist gratis. Wir bezahlen nichts.

der Lift: Ihr wohnt im 4. Stock und habt keinen Lift?

Wir renovieren

renovieren: Ich renoviere mein Bad.

der Plan: Hast du schon einen Plan gemacht? – Ja, zuerst …

der Baumarkt: Wir wollen streichen und brauchen Farben. Kommst du mit in den Baumarkt?

die Rolle und der Pinsel: Ja, wir brauchen auch noch eine Rolle und ein paar Pinsel.

die Leiter: Die Leiter steht an der Wand.

festhalten: Halte die Leiter gut fest.

fallen: Ich bin von der Leiter gefallen.

nichts Schlimmes: Zum Glück ist nichts Schlimmes passiert.

die Wand und die Decke: Wir müssen die Wände und Decken streichen.

streichen: Ich habe meine Wohnung neu gestrichen.

Ein Brief an die Hausverwaltung

der/die Vermieter/in und der/die Mieter/in

die Hausverwaltung und die Regel: Die Hausverwaltung achtet auf die Regeln.

feucht = nass: Die Wand ist feucht.

die Klingel: Die Klingel ist auch kaputt.

Sehr geehrte Frau … / Sehr geehrter Herr …

Bitte beheben Sie das Problem so schnell wie möglich.

kündigen: Wir kündigen den Mietvertrag fristgerecht zum …

Mit freundlichen Grüßen

… und die Unterschrift nicht vergessen!

Zu 1 1) Ich und das Geld. Hören Sie den Text. Richtig oder falsch? Kreuzen Sie an.

	richtig	falsch
1. Der Mann findet Geld nicht wichtig.	☐	☐
2. Der Mann ist reich, er hat viel Geld.	☐	☐
3. Er spielt kein Tennis mehr.	☐	☐
4. Er muss nicht arbeiten.	☐	☐

🌻 *Tipp*
*Stellen Sie sich vor den Spiegel,
hören Sie den Text und sprechen
Sie ihn mit.*

**2) Wörterchaos. Lesen Sie den Text. Einige Wörter sind durcheinander gekommen.
Ordnen Sie und schreiben Sie den Text in ihr Heft.**

Claudia Schmidt arbeitet halbtags als Bürokauffrau. Auch ihr Mann
arbeitet, denn nur zusammen überweisen sie genug. Claudia: „Das
Leben ist sportlich. Wir sparen jeden Monat die Miete, den Strom und
das Geld für den Kindergartenplatz von Lukas, und schon ist die Hälfte
von unserem Geld wieder weg." Claudia und ihr Mann sind teuer und
Fitnessstudio und Tanzstunden verdienen Geld. Trotzdem können sie
jeden Monat einen kleinen Betrag verbrauchen. Claudia: „Das Geld ist
für Notzeiten, aber einen großen Teil kosten wir meistens für den
Urlaub. Aber ein bisschen Spaß soll das Leben doch auch machen,
oder?" Einmal hat Claudia sich bei „Wer wird Millionär" geträumt und
von der Million beworben. Aber bis jetzt hat es noch nicht geklappt ...

Zu 2 1) Geldgeschäfte. Was passt nicht? Streichen Sie.

1. einen Kredit	bekommen	aufnehmen	verlieren
2. Schulden	machen	ausgeben	haben
3. ein Konto	überziehen	verkaufen	einrichten
4. einen Vertrag	kaufen	lesen	unterschreiben
5. eine Beratungsstelle	besuchen	finden	ausgeben

2) Die Probleme von Simina Petrescu. Lesen Sie noch einmal den Text von Aufgabe 2 c).
Fassen Sie zusammen. Die Wörter und Bilder helfen Ihnen.

zusammenleben
Kredit
Wohnung/Job finden
Konto überziehen
hohe Zinsen
Hilfe bekommen

Simina Petrescu wollte mit ihrem Mann

Prüfungsvorbereitung

Online-Banking: eine Überweisung. Ergänzen Sie.

Die VHS Singen möchte, dass Sie die Gebühr für Ihren Deutschkurs mit der Nummer 4012 vom Januar–April 2011 bezahlen. Sie sollen 200,– Euro auf das Konto 880 220 307 bei der Europabank 300 200 00 überweisen.

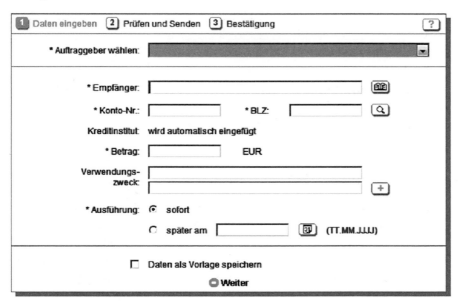

Zu **8** **Karaoke. Hören Sie Rolle 1 und sprechen Sie Rolle 2.**

⊚
21

Rolle 1: ...
Rolle 2: Ich möchte die Bank wechseln und ein Konto eröffnen.
Rolle 1: ...
Rolle 2: Ich brauche ein Girokonto. Wie hoch sind da die Kontogebühren?
Rolle 1: ...
Rolle 2: Ja, ich habe einen Computer zu Hause.
Rolle 1: ...
Rolle 2: Was kostet sie denn?
Rolle 1: ...
Rolle 2: Hm, ich weiß noch nicht. Ich nehme jetzt erstmal nur das Konto mit einer EC-Karte.
Rolle 1: ...

Zu **9** *Warum ...? – Weil ...* **Nebensätze mit** *weil*. **Verbinden Sie die Sätze wie im Beispiel.**

Beispiel:
Die Überweisung ist noch nicht fertig. Ich hatte keine Zeit.
Die Überweisung ist noch nicht fertig, weil ich keine Zeit hatte.

1. Ich musste letzten Monat mein Konto überziehen. Ich bin umgezogen.

_____

2. Mein Bruder bekommt keinen Kredit. Er hat keine Arbeit.

_____

3. Ich habe zu viel Geld ausgegeben. Ich habe so viele tolle Angebote gesehen.

_____

4. Ich habe immer Geld. Meine Eltern sind reich.

_____

5. Ich mache kein Online-Banking. Es ist nicht sicher genug.

_____

Zu **10** 1) **Ausreden. Schreiben Sie Antworten.**

1. Warum hast du gestern nicht beim Arzt angerufen?
2. Warum hast du kein Geld abgehoben?
3. Warum bist du nicht mit dem Fahrrad gefahren?
4. Warum warst du nicht beim Sport?

1. Weil ich die Nummer nicht gefunden habe.

2) Etwas begründen. Das geht mit *weil* (Nebensatz) oder mit *denn* (Hauptsatz).

1. Ich möchte bei der Bank kein Konto eröffnen, _____ sie ist zu teuer.

2. Er hat die Bank gewechselt, _____ die alte Bank zu weit weg war.

3. Wir müssen einen Kredit aufnehmen, _____ wir Geld für den Umzug brauchen.

4. Ich habe die Überweisung noch nicht gemacht, _____ ich nichts verstehe.

5. Ich möchte eine Kreditkarte haben, _____ ich reise oft ins Ausland.

6. Ich warte noch mit dem Autokauf, _____ im Moment sind die Zinsen zu hoch.

Kleine Wörter verbinden Sätze und Wörter. Sie heißen Konjunktionen und sind hier versteckt. Finden Sie sie?

verweilen, oben, rund, Schabernack, todernst, dasselbe, Schuldennummer, Hals

Zu **12** 1) **Lesen Sie den Text und ergänzen Sie die Endungen.**

Energie sparen heißt Geld sparen

Die jährlich____ Stromabrechnung ist mal wieder viel zu hoch? Gehen Sie einmal durch ihre schön____ Wohnung und machen Sie den praktisch____ Energie-Check. So sparen Sie viel Geld!

1. Werfen Sie den alt____ Kühlschrank auf den Müll. Die neu____ Kühlschränke verbrauchen sehr viel weniger Strom!

2. Sie haben gekocht? Stellen Sie das heiß____ Essen nicht sofort in den Kühlschrank. Lassen Sie es erst abkühlen.

3. Überprüfen Sie die Fenster. Kleben Sie die offen____ Stellen ab und Sie sparen Heizkosten.

4. Überprüfen Sie jede Lampe. Die beim Kauf billig____ Glühbirnen sind nicht nur Stromfresser, sie sind auch bald verboten.

5. Reparieren Sie Ihr alt____ Fahrrad und lassen Sie Ihr durstig____ Auto in der Garage stehen.

Ein Bilderrätsel. Was ist das?

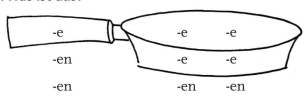

-e   -e   -e

-en   -e   -e

-en   -en   -en

-en

Das sind die ...

Übungen ▸ Rund ums Geld

2) Adjektive und Nomen. Ergänzen Sie.

○ ○ ○

Liebe Susan,

heute habe ich im Deutschkurs gu____ Spart_____ bekommen.
Hast du gewusst, dass man z. B. den billi____ Kä____ immer unten
im Regal findet oder dass jed____ Waschg_____ in der Spülmaschine 35 Cent, beim Spülen mit der Hand aber 66 Cent kostet? Ich habe ja schon immer meine tol____ Spülm_____
geliebt! Und, ich bade ja gerne, aber stell dir vor, für eine vol____
Badew_____ braucht man dreimal mehr Wasser im
Vergleich zum Duschen. Wir lassen jetzt auch die kur____
Fahr____ mit dem Auto weg und fahren lieber mit unseren
neu____ Fahr_____. Die waren im Angebot! Hast du auch
noch interessa____ Tipps für mich? Ich bin im Sparrausch!

Deine Maria

Zu 13 Hören Sie und antworten Sie wie im Beispiel.

Der Typ ist cool.

22

Kennst du den coolen Typen?

Zu 14 Welches Wort hören Sie? Kreuzen Sie an.

23

1. nette	☐	netten	☐	netter	☐
2. dunkle	☐	dunklen	☐	dunkler	☐
3. neue	☐	neuen	☐	neuer	☐
4. teure	☐	teuren	☐	teurer	☐
5. hohe	☐	hohen	☐	hoher	☐
6. schöne	☐	schönen	☐	schöner	☐

Zu 15 Geldverben. Ergänzen Sie die Sätze mit den richtigen Verbformen.

abheben • ausgeben • bekommen • bezahlen • überweisen • zurückzahlen

1. Ich habe dein Geld _____. Vielen Dank.

2. Ja, ich habe die Miete _____.

3. Ich habe am Automaten Geld _____.

4. Dann war ich einkaufen und habe viel Geld _____.

5. Wann kannst du mir das Geld _____?

6. Oh je, schon wieder eine Rechnung. Die kann ich nicht _____.

Lernwortschatz: Geld

Das Leben ist teuer

die Freiheit: Ohne Geld keine Freiheiten.
reich ≠ arm
ausgeben: Du gibst zu viel Geld aus.
die Lebensmittel – Brot, Milch, Wasser ...
Unterhaltung – ins Kino / ... gehen
die Medien – Fernsehen, Zeitung, Internet ...
sparen: Ich spare für eine Reise nach Afrika.
die Überstunde: Das ist teuer und ich mache
   viele Überstunden.
die Schulden: Ich mache keine Schulden.
zurückzahlen: Sie hat ihre Schulden
   zurückgezahlt.
der Schein: Das ist ein 100-Euro-Schein.

Bei der Bank

der Vertrag: Hast du den Vertrag schon
   unterschrieben?
zuschicken: Wir schicken den Vertrag zu.
das Konto und überziehen: Ich habe meine
   Konten überzogen.
eröffnen: Ich habe ein Girokonto bei der
   Stadtbank eröffnet.
der Zins: Wie hoch sind die Zinsen?
abheben: Hast du schon Geld abgehoben?
Kredit und aufnehmen: Wir haben einen
   Kredit aufgenommen.
die Gebühr: Wie hoch sind die Gebühren?
das Online-Banking: Beim Online-Banking
   sind die Überweisungen gratis.
der Überziehungskredit – Ja, Sie bekommen
   einen Dispokredit (D).
abhängen (von): Das hängt von Ihrem Gehalt
   ab.

Am Automaten

der Geldautomat (D, CH)[1]
die Taste: Welche Taste muss ich drücken?
drucken: Hast du den Kontoauszug? –
   Nein, der Drucker druckt nicht.
der Dauerauftrag: Hast du schon einen Dauerauftrag für die Miete eingerichtet?
die Geheimnummer: Oh je, ich habe meine
   Geheimnummer vergessen!

1 der Bankomat (A)

Eine Überweisung machen

der Überweisungsschein (D)[2]: Hast du den
   Überweisungsschein ausgefüllt?
überweisen: Ja, das Geld ist überwiesen.
die Rechnung: Wie hoch ist die Rechnung? –
   25,99 Euro.
der Betrag: Du kannst den Betrag überweisen.
die Konto-Nr. und die Bankleitzahl (BLZ)
der/die Empfänger/in: Der Zahlungs-
   empfänger bekommt das Geld.
der/die Kontoinhaber/in – Das bin ich.

2 Einzahlungsschein (A, CH)

Im Haushalt sparen

das Ehepaar – ein verheiratetes Paar
zusammenleben: Wir haben fünf Jahre
   zusammengelebt.
getrennt: Jetzt sind wir getrennt.
eigen: Ja, das ist meine erste eigene Wohnung.
   Sie ist teuer!
austauschen: Hast du den Kühlschrank
   ausgetauscht?
neugierig: Sie sind aber neugierig.
leuchten: Die Lampe leuchtet nicht mehr.
der Stecker und die Steckdose: Ist der Stecker
   in der Steckdose?
verbrauchen und der Strom: Unser Kühlschrank verbraucht zu viel Strom.
der Kauf und achten auf: Achten Sie beim
   Kauf auf die Energieklasse.
das Benzin: Mein Auto verbraucht zu viel
   Benzin.
Vergleich: Im Vergleich ist das wenig.
überprüfen und regelmäßig: Ich überprüfe
   regelmäßig den Reifendruck.
vermeiden: Vermeiden Sie kurze Fahrten.
hungrig: Ich bin hungrig. = Ich habe Hunger.
gesund und das Vitamin: Vitamine sind
   gesund.
ausleihen: Ich habe das Video nur
   ausgeliehen.
Spülmaschine (D) – Wir benutzen einen
   Geschirrspüler (D, A, CH).

Zu **2** Mein Stadtteil. Lesen Sie die Texte und ordnen sie zu. Wer sagt was?

Tatjana, 28: Ich wohne jetzt seit zwei Jahren in diesem Stadtteil, aber ich möchte bald umziehen. Es gefällt mir hier, aber es gibt zu viel Verkehr. Die Autos sind schrecklich laut und ich wohne lieber ruhig. Aber ich mag die Menschen hier. Sie kommen aus vielen verschiedenen Ländern. Meine Nachbarn sind auch aus Russland hierher gezogen und ich verstehe mich gut mit ihnen. Es ist schön, Landsleute in der Nähe zu haben. Praktisch ist auch, dass es viele Geschäfte gibt. So ist das Einkaufen kein Problem.

Antonio, 52: Früher haben meine Frau und ich im Stadtzentrum gewohnt. Aber als unsere Kinder auf die Welt gekommen sind, wollten wir lieber in einen ruhigen Stadtteil umziehen. Jetzt wohnen wir schon seit sieben Jahren hier und es gefällt uns immer noch sehr. Hier gibt es viele Bäume und zwei große Parks in der Nähe. In unserer Straße wohnen viele Familien mit Kindern. Das ist toll, weil unsere Kinder so immer Freunde zum Spielen haben. Leider brauche ich mit dem Auto fast 45 Minuten zur Arbeit, aber abends freue ich mich immer auf unser schönes Zuhause.

	Tatjana	Antonio	beide
1. Unsere Kinder haben hier viele Freunde.	☐	☐	☐
2. In meinem Stadtteil gibt es viele Geschäfte.	☐	☐	☐
3. Die Fahrt zur Arbeit dauert ziemlich lange.	☐	☐	☐
4. In meinem Stadtteil gibt es zu viele Autos.	☐	☐	☐
5. Ich wohne lieber in einem ruhigen Stadtteil.	☐	☐	☐
6. Meine Nachbarn sind Russen.	☐	☐	☐
7. Ich möchte umziehen.	☐	☐	☐
8. Wir wohnen schon lange hier.	☐	☐	☐

Zu **3** 1) **Wie wichtig ist was für Sie? Kreuzen Sie an.**

	1	2	3
ein Supermarkt und Geschäfte in der Nähe	☐	☐	☐
nette Nachbarn	☐	☐	☐
ein Spielplatz	☐	☐	☐
andere Familien mit Kindern	☐	☐	☐
junge Leute	☐	☐	☐
Bus und Bahn in der Nähe	☐	☐	☐
zentrale Lage	☐	☐	☐
Landsleute in der Nähe	☐	☐	☐
ein Park	☐	☐	☐
ruhige Lage	☐	☐	☐

1 = nicht so wichtig
2 = wichtig
3 = sehr wichtig

2) **Schreiben Sie einen Text: Wie möchten Sie wohnen?**

Ich möchte gern zentral wohnen. Ich finde einen Supermarkt in der Nähe sehr wichtig. Ich gehe auch gern ins Kino ...

Zu **4** **1)** In der neuen Heimat. Wir haben vier Menschen gefragt, wie es ihnen geht.
Hören Sie die Antworten. Welches Wort passt? Ordnen Sie zu.

24

1. Landsleute   2. Angst   3. Heimweh   4. Hoffnung

Text A: ☐   Text B: ☐   Text C: ☐   Text D: ☐

2) Verben mit Präpositionen. Lesen Sie den Brief und ergänzen Sie die Frage oder die Antwort.

Hallo, Tante Lisa,

ich habe mich schon lange auf Deutschland gefreut und nun sind Mikhael und ich endlich hier.
Du weißt ja, wie sehr ich mich schon immer für das Land interessiert habe. Wir unterhalten
uns viel mit unseren Freunden über das Leben hier und bei uns. Wir haben auch über die
Vor- und Nachteile von einem Leben in Deutschland und einem Leben in Aserbaidschan gestritten. Das war eine interessante Diskussion. Dann haben wir einen Ausflug nach Hamburg
gemacht und ich habe mich sofort in die Stadt verliebt. Gleich gehen wir essen, ich warte nur
noch auf das Taxi.
Und wie geht es euch? Was macht Oma?

Liebe Grüße
Nadja

1. Worauf hat sich Nadja gefreut?   _Auf Deutschland_
   Wofür hat sich Nadja interessiert?   Für das Land.

2. Mit wem unterhalten sich Nadja und Mikhael?   _Mit unsere Freunden_

3. _Worüber haben sie unterhalten?_   Über das Leben hier und bei uns.

4. Worüber haben sie gestritten?   _Über die Vor- und Nachteile von einem
   Leben in Deutschland und einem Leben in
   Aserbaidschan_

5. Sie hat sich verliebt. In wen oder was?   _____

6. _Worauf hat sie warten?_   Auf das Taxi.

Zu **8** **1)** Welche von diesen Adjektiven haben im Komparativ einen Umlaut?
Unterstreichen Sie und notieren Sie sie.

alt • billig • dick • groß • gut • hart • hoch • intelligent • jung •
kurz • lang • langsam • müde • nah • neu • oft • ruhig • selten •
teuer • viel • vorsichtig • warm • wenig • wichtig

alt • älter

2) Finden Sie die Komparative und lösen Sie das Kreuzworträtsel.

Senkrecht ↓
1. weit
2. stark
3. groß
4. arm
5. intelligent
6. gut
7. schnell
8. dunkel

Waagerecht →
9. reich
10. gern
11. viel
12. hoch
13. lang
14. teuer
15. klein
16. kalt
17. eng
18. vorsichtig

3) Anders als zu Hause. Vergleichen Sie und schreiben Sie Sätze mit ... *als* ...
Benutzen Sie Wörter aus dem Kreuzworträtsel.

zu Hause
in Deutschland/in Österreich/in der Schweiz
in Russland/in der Türkei/im Iran/in ...
bei uns/hier

die Menschen
die Geschäfte
das Wetter
die Häuser
das Essen
die Kinder
die Schulen
...

In der Türkei arbeiten die Menschen ...

Zu **9** Wer ist stärker, schneller, reicher, intelligenter, schöner, ... als wer?
Wer kann besser, schneller, länger, mehr, ... als wer? Vergleichen Sie.

Albert Einstein   Marilyn Monroe   Elvis Presley   Arnold Schwarzenegger   die Beatles   Bill Gates

Bill Gates ist reicher als Arnold Schwarzenegger. Elvis kann besser ...

Zu **12** Noch mehr Vergleiche. ... *als* (+) oder *so ... wie* (=)? Ergänzen Sie.

Luis erzählt:

1. „Ich lebe schon seit drei Jahren in Deutschland und eigentlich gefällt es mir hier

   _____ (gut / =) in Brasilien.

2. Aber im Winter ist es hier viel _____ (kalt / +) in Sao Paulo.

3. Man kann hier _____ (viel / =) Spaß haben _____ in Brasilien.

4. Ich habe hier _____ (weniger/+) Freunde _____ zu Hause.

5. Aber ich spreche schon _____ (gut / +) Deutsch _____ am Anfang

   und kenne _____ (viele / +) Leute _____ früher.“

Zu **14** Carola hilft in einem Wohnprojekt. Ergänzen Sie die Personalpronomen im Dativ.

Seit unsere Oma krank war, arbeitet meine Schwester Carola ehrenamtlich in einem „Mehr-generationenhaus“. Dort leben alte Leute, aber auch junge Familien mit Kindern. Herr Bayer kann nicht mehr alleine kochen, deshalb hilft Carola _____[1]. Nach dem Essen fragen er und sein Zimmernachbar oft: „Liest du _____[2] noch ein bisschen aus der Zeitung vor?“ Carola mag Kinder und sie hilft _____[3] oft bei den Hausaufgaben. Die Kinder erzählen _____[4] von der Schule und Carola hört _____[5] zu. Carola fühlt sich in dem Mehr-generationenhaus wohl. Gestern hat sie _____[6] Fotos gezeigt. Die waren sehr schön!

Prüfungsvorbereitung

Die „Tafeln“. Lesen Sie den Text und kreuzen Sie an.

Die Idee für die „Tafeln“ kommt aus den USA. Mit dem Projekt will man Menschen in schwierigen Situationen helfen. Auch in den reichen Ländern haben viele Menschen kein Geld und keine Wohnung. Deshalb ist es nicht gut, dass Supermärkte, Restaurants und Bäckereien jeden Abend viele Lebensmittel wegwerfen. Bei den Tafeln fahren ehrenamtliche Helfer zu den Geschäften und Restaurants und sammeln Lebensmittel ein. Sie verteilen sie an Hilfsorganisationen, z. B. Suppenküchen, oder direkt an Hilfsbedürftige.
Die erste deutsche Tafel hat man 1993 in Berlin gegründet. Und das Projekt war ein großer Erfolg: Nur ein paar Jahre später waren es in Deutschland schon über 200 Tafeln in vielen Städten.

1. Bei dem Projekt sammeln freiwillige Helfer Essen für arme Menschen.   r ☐   f ☐

2. Das Projekt   a) ☐ hat man 1993 gegründet.
      b) ☐ hatte keinen Erfolg.
      c) ☐ kommt aus Amerika.

3. Ehrenamtliche Mitarbeiter   a) ☐ sammeln Lebensmittel von armen Menschen ein.
      b) ☐ helfen den Tafeln in vielen deutschen Städten.
      c) ☐ haben oft kein Geld für Essen.

Zu **16** 1) Verben mit Dativ und Akkusativ. *Wer? Wem? Was?* Schreiben Sie Sätze.

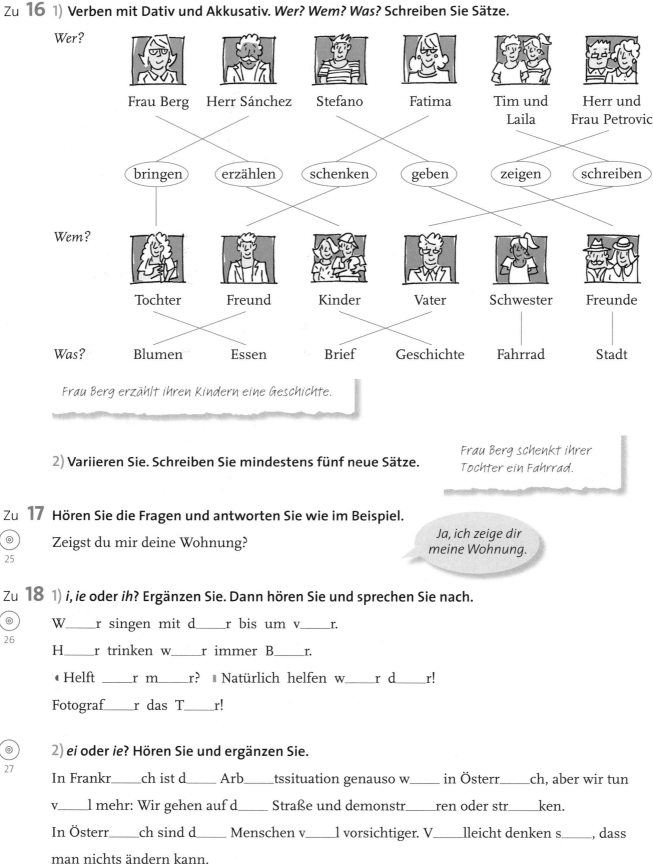

Wer?

Frau Berg   Herr Sánchez   Stefano   Fatima   Tim und Laila   Herr und Frau Petrovic

bringen   erzählen   schenken   geben   zeigen   schreiben

Wem?

Tochter   Freund   Kinder   Vater   Schwester   Freunde

Was?   Blumen   Essen   Brief   Geschichte   Fahrrad   Stadt

> *Frau Berg erzählt ihren Kindern eine Geschichte.*

2) Variieren Sie. Schreiben Sie mindestens fünf neue Sätze.

> *Frau Berg schenkt ihrer Tochter ein Fahrrad.*

Zu **17** Hören Sie die Fragen und antworten Sie wie im Beispiel.

25

Zeigst du mir deine Wohnung?

> *Ja, ich zeige dir meine Wohnung.*

Zu **18** 1) *i, ie* oder *ih*? Ergänzen Sie. Dann hören Sie und sprechen Sie nach.

26

W____r singen mit d____r bis um v____r.

H____r trinken w____r immer B____r.

‹ Helft ____r m____r? ▮ Natürlich helfen w____r d____r!

Fotograf____r das T____r!

27

2) *ei* oder *ie*? Hören Sie und ergänzen Sie.

In Frankr____ch ist d____ Arb____tssituation genauso w____ in Österr____ch, aber wir tun

v____l mehr: Wir gehen auf d____ Straße und demonstr____ren oder str____ken.

In Österr____ch sind d____ Menschen v____l vorsichtiger. V____lleicht denken s____, dass

man nichts ändern kann.

Lernwortschatz: Weggehen – ankommen – leben

Zusammen leben

miteinander: Wir müssen miteinander sprechen.

protestieren: Paul muss ins Bett, aber er protestiert.

die Gesellschaft: Unsere Gesellschaft ist zu modern.

die Meinung: Das ist deine Meinung.

diskutieren: Ich diskutiere mit dir nicht über das Thema.

sich einigen: Wir können uns nicht einigen.

in Ruhe lassen: Lass mich jetzt in Ruhe!

der Lärm: Ist das laut! Was ist das für ein Lärm?

der Feiertag: Der 1. Mai ist ein Feiertag.

demonstrieren: Am 1. Mai gehen die Menschen auf die Straße und demonstrieren.

streiken – nicht arbeiten

Recht haben: Du hast Recht, wir müssen streiken.

sozial: Wir kämpfen für soziale Gerechtigkeit.

Weggehen und ankommen

der Stadtteil: Unser Stadtteil liegt im Süden.

die Lage: Das ist eine tolle Lage, da gibt es alles.

die Nachbarschaft: In meiner Nachbarschaft leben viele Landsleute.

der Russe/die Russin: Meine Nachbarin ist Russin, sie kommt aus Moskau.

weggehen: Warum seid ihr aus Russland weggegangen?

die Erfahrung: Sie berichtet von ihren Erfahrungen.

die Hoffnung: Wir hatten so viele Hoffnungen, als wir angekommen sind.

fremd: Aber wir haben uns hier sehr fremd und allein gefühlt.

das Heimweh: Ich musste immer an zu Hause denken und hatte großes Heimweh.

die Angst: Du musst keine Angst haben, es wird bald besser.

weitermachen – nicht aufhören

Sich engagieren und mitmachen

der Fußballverein und trainieren: Klaus trainiert die Kleinen im Fußballverein.

sich engagieren und freiwillig: Er engagiert sich seit Jahren freiwillig für das Projekt.

mitmachen: Mach doch auch bei uns mit!

verteilen: Verteilst du das Essen?

das Treffen: Ich habe noch ein Treffen in der Volkshochschule.

die Geschichte und vorlesen: Mama, liest du mir eine Geschichte vor?

bieten: Ich biete ein Sofa und suche ...

die Torte: eine Torte zum Geburtstag backen

unkompliziert – einfach, nicht schwierig

Vergleiche

auffallen: Ist dir aufgefallen, dass er besser Deutsch spricht?

merken: Ja, das habe ich gemerkt.

vergleichen: Das kann man nicht vergleichen.

pfeifen: Er hat lauter gepfiffen!

springen: Wer springt höher?

gut, besser: Klaus singt gut, aber Dagmar singt besser.

viel, mehr: Ich habe mehr Geld als du.

das Gold: Ist die Kette aus Gold?

Sich für etwas entscheiden

vorher: Gehen wir? – Ja gleich, aber vorher muss ich noch ...

die Weiterbildung: Ich bin arbeitslos, aber ich kann eine Weiterbildung machen.

sich entscheiden für: Sie hat sich für eine Weiterbildung entschieden

persönlich und sich vorstellen: Sie will sich lieber persönlich vorstellen.

sich lohnen: Die Arbeit hat sich gelohnt.

das Ausland: Ja, ich gehe ins Ausland. Nach Australien.

das Taschengeld: Meine Tochter bekommt 20 Euro Taschengeld im Monat.

unzufrieden: Das gefällt ihr nicht. Sie ist unzufrieden.

Übungen • Sport

Zu **1** Welche Sportarten sind das? Lesen Sie und lösen Sie das Kreuzworträtsel.
Ergänzen Sie die Definitionen für die Sportarten 6–8.

Das Kreuzworträtsel (waagerecht und senkrecht):

- 1 (senkrecht): S C H A C
- 6 (waagerecht): S C H W I M M E N
- 7 (waagerecht): F U ß B A L L
- 8 (waagerecht): T A N Z E N
- 5 (senkrecht): L A U F E N
- 4 (senkrecht): K I M U F E
- 3 (senkrecht): K A M P F S P O R T
- 2 (senkrecht): V O L L E Y B A L L

Senkrecht ↓

1. Das spielt man zu zweit. Man muss viel denken.
2. Das spielt man oft am Strand. Man braucht einen Ball. In einer Mannschaft sind zwei oder sechs Spieler.
3. Viele von diesen Sportarten kommen aus Asien. Oft tragen die Sportler weiße Kleidung.
4. Im Winter machen das viele Leute gern in den Bergen. (2 Wörter)
5. Das kann man allein oder mit anderen machen. Viele Leute machen das im Park und hören dabei Musik. Es ist sehr gesund.

6. Das spielt/macht man allein im Wasser, oder mit eine Manschaft.
7. In einer Manschaft sind elf Spieler. Es ist der am meisten populär Sport in die Welt.
8. Das kann man allein oder mit anderen machen. Ein Beispiel is die Salsa.

Zu **2** **1)** Diktat. Hören Sie die Fragen und schreiben Sie sie auf.

(28)

_____

_____

_____

_____

_____

(29)

2) Magst du Sport? Hören Sie die Fragen noch einmal und antworten Sie.

Mein Lieblings-sport ist ...

Zu **5** **Sporttypen. Was ist richtig, was ist falsch? Lesen Sie die Aussagen und kreuzen Sie an.**

                                                    richtig   falsch

1. Silke ist früher viel gelaufen. Es hat ihr gefallen. ☐ ☐
2. Ernst macht gern verschiedene Sportarten. ☐ ☐
3. Selda hat mit Handball angefangen, weil sie Leute kennenlernen wollte. ☐ ☐
4. Alexej macht heute viel Sport. ☐ ☐

Silke, 42: Sport macht mir überhaupt keinen Spaß. Als ich abnehmen wollte, bin ich viel gelaufen, aber das war so langweilig! Du läufst und läufst und am Ende nimmst du 200 Gramm ab. Das war nichts für mich.

Ernst, 21: Ich bin sehr sportlich. Ich gehe joggen, spiele Fußball und fahre viel Fahrrad. Fußball spiele ich sogar im Verein. Ich trainiere regelmäßig. Nach dem Training bin ich dann richtig fertig. Das liebe ich. Und dann schmeckt das Bier besonders gut!

Selda, 34: Als ich nach Köln gezogen bin, habe ich zuerst niemanden gekannt. Ich habe mich gefragt, wie ich schnell Leute kennenlernen kann. Sport ist immer eine gute Möglichkeit, also habe ich mit Handball angefangen. Das war super.

Alexej, 63: Als Kind habe ich sehr viel Sport getrieben, aber jetzt nicht mehr. Das Training war immer hart, aber es ist ein schönes Gefühl, wenn du gewinnst. Der Sport hat mich stark gemacht. Ich gewinne auch heute noch gerne, auch im Beruf.

Was sind das für Personen? Was denken Sie? Schreiben Sie.

Silke geht lieber ins Theater als zum Sport.
Sie hat viele Freunde und liebt Restaurants ...

Prüfungsvorbereitung

Antworten Sie auf die E-Mail.

- Sie bedanken sich und sagen, wie es Ihnen und Ihrer Familie geht.
- Sie sagen, wie Sie es finden, dass Ihr Freund jetzt Sport treibt.
- Sie hoffen, dass er den Halbmarathon schafft.
- Sie wollen sehr gern zusehen und fragen nach der Uhrzeit.

○○○

Liebe/r ...,

ich habe lange nichts von dir gehört. Geht es dir und deiner Familie gut?
Stell dir vor, ich mache seit ein paar Monaten Sport. Ich gehe jeden Tag laufen und trainiere für den Halbmarathon. Der findet nächsten Freitag im Zentrum statt. Willst du nicht mitkommen und zusehen? Das wird sicher toll! Ich bin zwar nicht der schnellste Läufer, aber vielleicht schaffe ich es ja bis ins Ziel. Schreib mir, ob du kommen kannst. Danach können wir ja dann noch in den Biergarten gehen.

Liebe Grüße, Sven

Zu **6** **Die deutsche Bundesliga. Wie waren die Spielergebnisse am Wochenende? Hören und notieren Sie.**

30

1. FC Bayern München – Schalke 04 ＿＿ : ＿＿

2. Werder Bremen – 1. FC Köln ＿＿ : ＿＿

3. 1. FC Nürnberg – Hannover 96 ＿＿ : ＿＿

4. VFL Bochum – VFB Stuttgart ＿＿ : ＿＿

5. Eintracht Frankfurt – Hamburger SV ＿＿ : ＿＿

Zu **9** **1)** *Wenn ...,* *dann ...* **Schreiben Sie Sätze wie im Beispiel.**

1. Ist das Wetter morgen gut?	Dann machen wir ein Picknick.
2. Habt ihr Zeit und Lust?	Ihr seid herzlich eingeladen.
3. Wollt ihr kommen?	Wir können uns im Park treffen.
4. Möchtet ihr etwas mitbringen?	Ihr könnt einen Salat machen.
5. Kommt Katharina?	Dann soll sie ihre Gitarre mitbringen.
6. Denkt Stefan an den Ball?	Dann können wir Volleyball spielen.
7. Seid ihr noch nicht müde?	Dann gehen wir später noch tanzen.
8. Kann Diego Salsa tanzen?	Dann muss ich ihn anrufen.
9. Sind die Wolken jetzt weg?	Dann wird es sicher ein schöner Tag.
10. Regnet es morgen?	Dann bleiben alle zu Hause und sehen fern.

Wenn das Wetter morgen gut ist,
(dann) machen wir ein Picknick.

+ *Wenn* **oder** *weil***? Ergänzen Sie.**

Im Sommer gehe ich mit meiner Familie oft ins Freibad, ＿＿＿＿＿[1] wir alle sehr gern

schwimmen. Das macht aber nur Spaß, ＿＿＿＿＿[2] es warm ist und die Sonne scheint.

＿＿＿＿＿[3] das Wasser zu kalt ist, frieren meine Kinder immer sehr schnell. Letztes

Jahr hat mein Sohn eine Erkältung bekommen, ＿＿＿＿＿[4] er abends nicht nach Hause

wollte und zu lange im kalten Wasser geblieben ist. Aber ＿＿＿＿＿[5] man vorher kalt

duscht, wirkt das Wasser schon viel wärmer. ＿＿＿＿＿[6] wir nicht mehr schwimmen wollen,

legen wir uns in die Sonne und lesen oder spielen Volleyball. Wir bleiben oft den ganzen Tag

dort und fahren erst nach Hause, ＿＿＿＿＿[7] wir müde werden. Ich liebe Sommertage

im Freibad, ＿＿＿＿＿[8] sie mich an meine Kindheit erinnern.

2) Ergänzen Sie die Satzanfänge.

Wenn ich (keinen) Sport treibe, _fühle ich mich gut._ _____

Wenn das Wetter gut ist, _____

Wenn ich Zeit habe, _____

Wenn ich Geld habe, _____

Wenn ich krank bin, _____

Zu **10** **Zwei Unfälle. Was ist passiert? Beschreiben Sie die Bilder.**

(hin)fallen • umknicken • sich (am Fuß/Kopf) verletzen

1. Pavel ist im Park Fahrrad gefahren.

Zu **14** **1) Arme Sofie! Lesen Sie den Text und markieren Sie die Komparative.**

In meiner Familie habe ich es wirklich schwer: Ich bin kleiner als mein Vater, dicker als meine Mutter, fauler als mein Onkel, schwächer als meine Oma, langweiliger als mein Bruder, lauter als mein Cousin, langsamer als meine Nichte, nervöser als mein Opa und unsportlicher als mein Neffe. Das ist gemein!

Tipp
Stellen Sie sich vor den Spiegel und sprechen Sie den Text nach.

31

2) Hören Sie den Text und sprechen Sie nach. Übertreiben Sie.

3) Ein Jahr später geht es Sofie viel besser! Schreiben Sie einen neuen Text und ändern Sie dabei alle Komparative in ihr Gegenteil.

stark • groß • sportlich • dünn • schnell • ruhig • leise • fleißig • interessant

Im letzten Jahr habe ich mich sehr verändert: Jetzt bin ich größer als mein Vater, ...

Vergleichen Sie sich mit Ihrer eigenen Familie. Variieren Sie die Adjektive.

Ich bin sportlicher als mein Vater, kleiner als meine Mutter, ...

Zu 15 Wer kennt den Weg am besten? Ergänzen Sie die Superlative mit *am ...*

◢ Entschuldigung, wie komme ich von hier zum Fußballstadion?

◂ _____ ¹ (*gut*) gehen Sie hier geradeaus und dann nach links.

◆ Das ist Quatsch! _____ ² (*kurz*) ist es, wenn sie hier nach rechts und dann geradeaus gehen.

◂ Hören Sie nicht auf ihn! Da kommen Sie nie im Stadion an. _____ ³ (*schnell*) sind Sie, wenn Sie hier geradeaus und dann nach links gehen.

◆ Sie können auch erst nach links, dann nach rechts und zum Schluss geradeaus gehen.

Den Weg gehe ich _____ ⁴ (*gern*).

◢ Vielen Dank! Und wie soll ich nun gehen?

Zu 16 **1) Wetten, dass ...? Hören Sie und reagieren Sie wie im Beispiel.**

🎧 32

Wetten, dass ich besser Badminton spielen kann als du?

> *Nein, ich kann am besten Badminton spielen!*

🎧 33

2) Noch mehr Wetten! Hören Sie und reagieren Sie wie im Beispiel.

Wetten, dass mein Name am längsten ist?

> *Nein, mein Name ist der längste!*

3) Wetter in D A CH.
Lesen Sie und antworten Sie.

Welches ist die wärmste Stadt?

In München ist es wärmer als in Hamburg.
In Berlin ist es kälter als in Zürich.
In Köln ist es wärmer als in Zürich.
In Hamburg ist es nicht so warm wie in Berlin.
In München ist es kälter als in Zürich.

In welcher Stadt regnet es am meisten?

In Zürich regnet es mehr als in Berlin.
In Berlin regnet es weniger als in Wien.
In Wien regnet es weniger als in Hamburg.
In München regnet es mehr als in Hamburg.
In München regnet es weniger als in Zürich.

Zu 18 **Punkt, Komma oder Fragezeichen? Hören Sie den Text und ergänzen Sie die Satzzeichen.**

🎧 34

Wenn in einem Text die Satzzeichen fehlen kann man ihn schwerer verstehen Hören Sie deshalb gut zu und setzen Sie die Satzzeichen Achten Sie genau auf die Pausen und die Betonung Hören Sie einen Punkt ein Komma oder ein Fragezeichen Wenn Sie alle Satzzeichen gesetzt haben hören Sie den Text zur Kontrolle noch einmal Ist alles richtig

Lernwortschatz: Sport

Treiben Sie Sport?

Sport treiben: Alexej hat schon als Kind viel Sport getrieben.

das Fitnessstudio: Ich gehe regelmäßig ins Fitnessstudio.

der Sportplatz: Sie geht lieber auf den Sportplatz.

der/die Sportler/in: Sie sind alle gute Sportler.

der/die Spieler/in: Sie ist die beste Spielerin.

der/die Läufer/in: Und er ist der beste Läufer.

die Sportart: Welche Sportart magst du am liebsten: Schwimmen, Volleyball oder Laufen?

Schach: Ich spiele Schach.

Basketball und der Korb: Beim Basketball musst du den Ball in den Korb werfen.

der Schläger: Hast du meinen Tennisschläger gesehen?

das Netz: Der Ball muss übers Netz.

die Mannschaft: Beim Fußball gibt es in jeder Mannschaft elf Spieler.

unbedingt: Er wollte unbedingt einmal in seinem Leben einen Marathon laufen.

versuchen: Seine Freunde haben gesagt, dass er es einfach versuchen soll.

das Training: Für das Training hat er sich viel Zeit genommen.

körperlich: Das Training war körperlich sehr anstrengend.

abnehmen: Er hat fünf Kilo abgenommen.

wiegen: Nach dem Training hat er nur noch 79 Kilo gewogen.

Gewinnen und verlieren

gespannt (sein): Ich bin schon sehr gespannt auf das Fußballspiel heute Abend.

das Tor: Der Ball ist im Tor!

kämpfen: Beide Mannschaften müssen kämpfen, wenn sie gewinnen wollen.

gewinnen: Wer hat das Spiel gewonnen?

verlieren: Leider haben wir verloren. Die andere Mannschaft war besser.

fleißig: Wir müssen fleißiger trainieren.

der Wettbewerb: Bei dem Wettbewerb haben mehr als 10.000 Teilnehmer mitgemacht.

stattfinden: Er hat am 3. Juli stattgefunden.

der Rekord: Am schnellsten war ein Läufer aus Kenia. Er ist einen neuen Rekord gelaufen.

sich erinnern: Erinnerst du dich an ihn?

Sind Sie ein Fan?

der Fan: Tom und Jenny sind Fans vom FC Bayern München.

das Mitglied: Sie sind schon lange Mitglieder im Fanclub.

die Karte: Für jedes Spiel kaufen sie sich Karten.

zusehen: Sie sehen bei allen Spielen zu.

Was ist passiert?

der Unfall: Meine Tochter hatte einen Unfall.

verletzen: Sie hat sich am Bein verletzt.

umknicken: Sie ist umgeknickt.

sich brechen: Ich glaube, dass sie sich das Bein gebrochen hat.

der/die Verletzte: Gestern habe ich einen Autounfall gesehen. Bei dem Unfall hat es mehrere Verletzte gegeben.

bewusstlos: Einer war sogar bewusstlos.

der Notruf: Ich habe sofort den Notruf angerufen.

melden: Am Telefon habe ich den Unfall gemeldet.

die Feuerwehr: Die Feuerwehr ist sofort gekommen.

die Polizei: Ein bisschen später war auch die Polizei da.

Tipp

Lernen ist wie Trainieren.
Bleiben Sie am Ball!

Werkstatt

Stellen Sie drei Wortarten-Kisten mit den Wörtern auf Zetteln im Kursraum auf. Zu jeder Kiste finden Sie Aufgaben zur Grammatik- und Wortschatzwiederholung. Einige Aufgaben können Sie allein machen, für andere Aufgaben brauchen Sie Partner/innen. Gehen Sie zu jeder Kiste und wählen Sie mindestens drei Aufgaben aus. Bearbeiten Sie Ihre Aufgaben selbstständig. Am Ende vergleichen Sie Ihre Ergebnisse im Kurs.

machen abholen kennen ansehen weitermachen ausziehen beeilen (sich) bewerben (sich) dauern entdecken erzählen fehlen finden fragen glauben freuen (sich ... auf/über) fühlen (sich) anrufen geben aufpassen (auf) gewinnen träumen (von) hoffen pendeln reden vermissen wechseln passieren laufen gehen fahren vergessen schreien langweilen (sich) treffen (sich ... mit) unterhalten (sich ... mit/über) interessieren (sich ... für) streiten (sich ... mit/über) warten (auf) verabreden (sich ... mit) verreisen packen anziehen ändern (sich) verbringen sterben umziehen einziehen sitzen stellen legen hängen streichen verändern aufräumen umräumen ausgeben abheben überweisen leihen bekommen bezahlen kaufen verdienen überziehen sparen verbrauchen schimpfen kennenlernen lachen genießen mitmachen helfen zeigen gefallen schenken spielen trainieren kämpfen siegen verlieren telefonieren suchen finden bringen

Was tun? – die Verben

Kindheit Alter Baby Leben Freizeit Traum Alltag Ehe Arbeit Ausbildung Jugend Erlebnis Schulzeit Vater Mutter Sohn Tochter Schule Arbeitsplatz Gefühl Angst Aufgabe Beruf Erfolg Stellenanzeige Wahl Geld Tag Wochenende Tee Kaffee Woche Stunde Zeit Wecker Kindergarten Stress Termin Weg Zimmer Wohnzimmer Küche Bad Wand Decke Tür Fenster Haus Stadt Dorf Wohnung Garten Pinsel Karton Kissen Tasse Möbel Energie Regal Pflanze Stift Glas Heft CD Buch Bett Spiegel Kreditkarte Konto Bank Überweisung Schulden Tipp Rente Plan Verein Freund/in Chaos Geschenk Amt Sport Fußball Geldautomat Koffer Kleidung Bild

Alles beim Namen nennen – die Nomen

schnell hoch klein groß glücklich jung alleinerziehend praktisch zufrieden anstrengend pünktlich allein nett lustig lang ruhig neu alt gut billig weiß schwarz rot bunt langsam leicht einfach falsch flexibel kaputt krank müde warm feucht schwierig kurz leer schwach gesund schrecklich sauer hell dunkel toll stolz hart fit interessant gebraucht typisch freundlich gemütlich langweilig sauber schlecht tot traurig voll teuer nah hungrig berühmt wichtig heiß fremd perfekt stark vorsichtig weit gefährlich schön elegant

Wie ... ? Genau beschreiben – die Adjektive

Das Angebot für die Verben

1 Ver-rückte Verben. Was stimmt nicht? Tauschen Sie und schreiben Sie den Text neu. Arbeiten Sie allein.

Ich möchte das Leben träumen. Aber wir müssen fahren und dürfen nicht so viel Geld verbringen. Deshalb genießen wir im Winter nicht mehr so viel, aber von einem Urlaub am Meer können wir trotzdem nur feiern.
Deshalb sparen wir unsere Ferien auf dem Balkon. Wir haben ihn gekauft und viele Blumen gestrichen. Wir haben die alten Stühle gepflanzt und neue Möbel weggeworfen. Wir stellen Freunde ein, laden den Grill auf und heizen zusammen. Wenn die Sonne regnet, haben wir viel Spaß. Aber leider scheint es hier oft. Dann verdiene ich, dass ich nächstes Jahr mehr Geld hoffe und mit meiner Familie an den Strand ausgeben kann.

2 Was machen Sie, wenn Sie ...?
Wählen Sie eine Situation und schreiben Sie Handlungsketten. Nutzen Sie möglichst viele Verben aus der Kiste! Sie können allein oder zu zweit arbeiten.

A ... eine Reise machen wollen?
B ... umziehen?
C ... auf eine Geburtstagsparty gehen?

> A: Ich suche ein Reiseziel. Ich frage einen Freund/eine Freundin:
> „Kommst du mit? Wann hast du Zeit?" Wir finden einen Reisetermin.
> Wir kaufen die Tickets. Wir ...

3 Verben mit Dativ und Akkusativ. Finden Sie die vier Verben. Schreiben Sie passende Wörter auf Zettel und legen Sie Sätze. Sie können allein oder zu zweit arbeiten.

	Wem?	*Was?*
ze _ _ _ _	dir	ein Buch
sch _ _ _ _ _ _	meinen Eltern	die Hausaufgaben
br _ _ _ _ _	meinem Sohn	einen Tee
ge _ _ _	meinem Freund	Blumen
	meiner Tochter	eine CD
	meinen Nachbarn	...
	...	

> Ich schenke   meiner Tochter   ein Buch.

4 Sätze schreiben. Wählen Sie zwei reflexive Verben aus der Kiste. Beginnen Sie dann einen Satz mit *wenn* oder *als*. Geben Sie den Zettel Ihrem Partner oder Ihrer Partnerin. Schreiben Sie den Satz abwechselnd weiter. Dann falten Sie den Zettel zusammen.

treffen (sich ... mit)
unterhalten (sich ... mit)

> Wenn ich mich
> am Wochenende
> mit meinen Freunden treffe,
> unterhalten wir ...

5 Ziehen Sie zehn Verben aus der Kiste. Sortieren Sie.

a) Reihenfolge wie im Wörterbuch (alphabetisch)
b) Perfekt mit *haben* oder *sein*

6 Suchen Sie in der Kiste alle Verben rund ums Geld. Dann ergänzen Sie. Alle gefunden? Sie können allein oder zu zweit arbeiten.

1. Ich habe nur einen 50-Euro-Schein. Kannst du ihn _____ [1]?

2. ‹ Kommst du mit einkaufen?

   ❙ Ja, aber ich muss noch Geld _____ [2].

3. ‹ Wie viel müssen wir für das Auto _____ [3]?

   ❙ 7.500 Euro.

   ‹ Was, so viel? Dann müssen wir unser Konto _____ [4].

4. Du darfst nicht so viel Geld _____ [5]. Wir müssen _____ [6].

5. ‹ Wie viel _____ [7] du bei deinem neuen Job?

   ❙ Zu wenig. Kannst du mir 100 Euro _____ [8]?

7 *Setzen – stellen – legen – hängen.* Sie brauchen eine Kopie von der Zeichnung und einen/eine Partnerin. Richten Sie das Zimmer ein. Im Wechsel: Eine/r sagt einen Satz, der/die andere zeichnet.

das Bett
der Schrank
der Tisch
der Stuhl
der Fernseher
die Lampe
das Bild

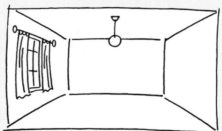

Stell den Schrank an die Wand links.

8 Ziehen Sie sechs Verben aus der Kiste und schreiben Sie eine Geschichte. Benutzen Sie mindestens fünf Verben. Geben Sie Ihre Geschichte dem Lehrer/der Lehrerin. Arbeiten Sie allein.

Das Angebot für die Nomen

1 Ordnen Sie die Nomen in die Kisten. Sie können allein oder zu zweit arbeiten.

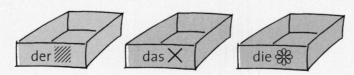

Bei welchen Wörtern sind Sie ganz sicher?
Kontrollieren Sie die anderen mit der Wörterliste. 147

2 Plural. Suchen Sie in der Kiste zu jedem Glas mindestens zwei Wörter.

Bei welchen Wörtern sind Sie ganz sicher?
Kontrollieren Sie die anderen mit der Wörterliste.

3 Wählen Sie zwei Oberbegriffe und suchen Sie passende Nomen. Machen Sie ein Wörternetz. Sie können allein oder zu zweit arbeiten.

Generationen • Wohnen • Arbeit • Freizeit

Baby

Generationen

4 Wählen Sie ein Nomen aus und schreiben Sie Wörter dazu wie im Beispiel.
Sie können allein oder zu zweit arbeiten.

```
    J U G E N D          S        A          D          I
        E                C        R          E          H
    K I N D H E I T      H        B          U          R
        E                U        E          T          N
    A L T E R            L        I          S          A
        A                Z        T          C          M
    M U T T E R          E        S          H          E
        T                I        P
        I                T        L
        O P A                     A
        N                         T
                                  Z
```

5 Pantomime. Ziehen Sie zehn Wörter. Überlegen Sie: Welche Wörter können Sie ohne Worte gut zeigen? Wählen Sie drei Wörter aus. Arbeiten Sie allein.

6 Sie brauchen einen/eine Partner/in und eine Kopie von der Zeichnung. Wählen Sie fünf Gegenstände aus der Nomen-Kiste. Eine/r sagt, wo der Gegenstand ist, der/die andere zeichnet ihn ein.

an
in
auf
unter   dem/der
neben   den (Pl.)
zwischen
vor/hinter

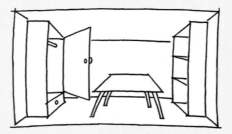

7 Ziehen Sie fünf Nomen aus der Kiste. Schreiben Sie eine Geschichte. Arbeiten Sie allein. Geben Sie die Geschichte dem/der Lehrer/in.

Das Angebot für die Adjektive

1 Wählen Sie eine Person aus dem Kurs <u>oder</u> eine Zeichnung aus. Suchen Sie in der Kiste passende Adjektive. Beschreiben Sie die Person. Arbeiten Sie allein. Geben Sie den Text dem Lehrer/ der Lehrerin.

> Die Person ist ein sportlicher Mann. Er trägt Jeans und ein blaues T-Shirt. Er ist ... / hat ... / Er mag ...

2 Finden Sie zu jedem Nomen ein passendes Adjektiv. Schreiben Sie die Verbindung auf Karteikarten. Arbeiten Sie allein.

eine ... Kindheit	ein ... Sport
ein ... Beruf	ein ... Erlebnis
ein ... Tag	ein ... Leben
ein ... Gefühl	ein ... Geschenk
eine ... Zeit	ein ... Leben

> eine glückliche Kindheit

3 Sehen Sie die Bilder an und vergleichen Sie. Notieren Sie Sätze wie im Beispiel. Arbeiten Sie zu zweit.

die Maus

der Wal

der Gepard

die Schnecke

der Gorilla

der Elefant

das Pferd

das Faultier

> Das Pferd ist schnell, aber der Gepard ist schneller.

4 Wie ist die Sprachschule? Arbeiten Sie allein.
1. Ziehen Sie acht Adjektive aus der Kiste und nummerieren Sie sie.
2. Ergänzen Sie den Text mit den Adjektiven 1–8. Achten Sie auf die Endungen.

> Unsere (1) Sprachschule
> Wir haben einen (2) Kursraum. Die (3) Kursteilnehmer und Kursteilnehmerinnen haben
> immer viel Spaß. Die (4) Deutschlehrerin macht (5) Übungen und erklärt uns die (6)
> Grammatik. In der Pause gehen wir in die (7) Cafeteria und trinken einen (8) Kaffee.

5 Ziehen Sie fünf Adjektive. Zu welchem Adjektiv fällt Ihnen ein Wortbild ein? Zeichnen Sie.

Präsentieren: Alle zusammen

Hier können alle mitmachen. Auch wenn Sie die Aufgabe nicht gemacht haben, können Sie helfen. Auch der/die Lehrer/in hilft.

Zu den Verben

Zu
1 Chordiktat. Der/Die Lehrer/in schreibt den Text Satz für Satz an die Tafel. Bei jedem Verb macht er/sie eine Pause. Rufen Sie im Chor das richtige Verb.

Zu
2 Bilden Sie Gruppen: A, B und C. Lesen Sie in der Gruppe Ihre Handlungskette vor. Vergleichen Sie: Wer hat den längsten Text?

Zu
3 Zwei gehen raus. Die anderen wählen ein Satzpuzzle aus. Verteilen Sie die Zettel. Alle gehen im Kurs herum und sprechen laut ihren Satzteil. Die anderen kommen herein und müssen den Satz raten und die Sprecher/innen in der richtigen Reihenfolge aufstellen.

Zu
4 Ziehen Sie einen Zettel und falten Sie ihn auseinander. Lesen Sie ihn vor.

Zu
5 Alle ziehen ein Verb. Dann stellen Sie sich in einer alphabetische Reihe auf.

Zu
6 Eine/r zieht ein Geldverb und sagt es laut. Die anderen notieren einen Satz mit dem Verb.

Zu 7 Legen Sie fünf Zeichnungen in einer Reihe auf einen Tisch. Eine/r beschreibt eine Zeichnung. Finden Sie heraus, welche Zeichnung es ist.

> Das Bett steht links an der Wand. Der Schrank ...

Zu 8 Der/Die Lehrer/in liest drei Geschichten vor. Wählen Sie die schönste.

Zu den Nomen

Zu 1 *Der-das-die*-Gymnastik. Bilden Sie drei Gruppen: *der das die*. Eine/r zieht aus jeder Kiste fünf Nomen und liest sie einzeln ohne Artikel vor. Die passende Gruppe steht auf.

Zu 2 Vergleichen Sie Ihre Wörter. Machen Sie eine Tabelle an der Tafel und sortieren Sie. Was war leicht, was war schwierig?

Zu 3 Hängen Sie alle Wörternetze im Kurs auf. Gehen Sie herum: Haben Sie Ergänzungen? Notieren Sie sie und fotografieren Sie das Ergebnis.

Zu 4 Machen Sie einen Wettbewerb. Wählen Sie das schönste Wörterkreuz.

Zu 5 Machen Sie die Pantomime zu Ihren Wörtern. Die anderen raten.

Zu 6 Legen Sie alle Zeichnungen auf einen Tisch. Eine/r zieht eine Zeichnung und beschreibt sie. Finden Sie heraus, wer diese Zeichnung gemacht hat?

Zu 7 Der/Die Lehrer/in liest drei Geschichten vor. Wählen Sie die schönste.

Zu den Adjektiven

Zu 1 Drei Personen lesen ihren korrigierten Text vor. Die anderen raten: Wer ist das?

> Das ist Foto A.

> Nein, das ist Hakim.

Zu 2 Der/Die Spielleiter/in liest ein Nomen vor. Alle machen Adjektiv-Vorschläge. Der/Die Lehrerin schreibt die schönste (passendste) Verbindung an die Tafel.

Zu 3 Adjektivkette. Der/Die Lehrer/in zeigt auf ein Bild. Eine/r sagt ein Adjektiv. Der/Die Nächste sagt einen Satz, der/die Nächste steigert ihn.

> schnell

> Das Pferd ist schnell.

> Der Gepard ist schneller.

Zu 4 Lesen Sie Ihren Text vor. Dann korrigieren alle im Kurs gemeinsam die Endungen.

Zu 5 Präsentieren Sie Ihre Wortbilder im Kurs. Von welchem Adjektiv gibt es die meisten Bilder?

Partnerspiel

Partnerspiel zu Einheit 4, Aufgabe 11. Seite für Spieler/in A. [39]

1. Sie sind A. In dem Zimmer fehlen die folgenden Gegenstände. Fragen Sie.

> *Die Jeans?*

Partner/in B weiß, wo die Sachen sind und sagt Ihnen, wo sie hinkommen. Zeichnen Sie Pfeile. Am Ende fragen Sie, ob alles richtig ist.

> *Liegt die Jeans ...?*

die Jeans   die Puppe   das Buch   die Blumen   die Flasche   die Schokolade

2. Dann fragt B Sie. Sehen Sie sich das Zimmer an und sagen Sie, wo die Sachen hinkommen.

> *Leg den Schuh in das Regal.*

Partnerspiel

Partnerspiel zu Einheit 4, Aufgabe 11. Seite für Spieler/in B. 39

1. Sie sind B. A fragt Sie nach Gegenständen im Bild. Sehen Sie sich das Zimmer an und sagen Sie, wo die Sachen hinkommen.

   Leg die Jeans auf das Bett.

2. Jetzt fragen Sie nach den folgenden Gegenständen.

   Der Schuh?

Partner/in A weiß, wo die Sachen sind und sagt Ihnen, wo sie hinkommen. Zeichnen Sie Pfeile. Am Ende fragen Sie, ob alles richtig ist.

Ist der Schuh …?

der Schuh   der Schlüssel   das Bild   das Glas   das Geld   die Pizza

Satzzeichen hören. Text zu Einheit 7, Aufgabe 17 b) 71
b) Hören Sie den Text. Machen Sie die Gesten. Dann hören Sie den Text noch einmal und ergänzen die Satzzeichen.

Warum braucht ein Text Satzzeichen Mit Satzzeichen kann man einen Text leichter verstehen Wenn man einen Text liest kann man die Satzzeichen an den Pausen und der Intonation hören Üben Sie Pausen und Intonation Lesen Sie langsam und deutlich einen Text vor Die anderen machen eine Geste wenn sie einen Punkt ein Komma oder ein Fragezeichen hören Können Sie die Satzzeichen jetzt selbst setzen Üben Sie auch mit anderen Texten aus Ja genau denn das hilft beim Lesen Schreiben und Sprechen

Grammatik kompakt

Verben

Reflexive Verben

‹ Freust du **dich** auch auf den Sommer?
❙ Ja, im Winter langweile ich **mich** oft.

Einige Verben brauchen ein Reflexivpronomen:
sich ausruhen, sich ärgern (über), sich freuen (über/auf), sich langweilen,
sich interessieren (für), sich unterhalten, ...
Die Reflexivpronomen finden Sie auf Seite 〔130〕.

> **freu·en**; *freute, hat gefreut*; 〔Vr〕 **1 sich (über etw.**
> **(Akk))** *f.* wegen etw. ein Gefühl der Freude emp-
> finden ⟨sich sehr, ehrlich, riesig f.⟩: *sich über ein Ge-
> schenk, e-n Anruf f.; Ich habe mich sehr darüber ge-
> freut, dass wir uns endlich kennen gelernt haben; Ich
> freue mich, Sie wieder zu sehen* **2 sich auf j-n / etw.**
> *f.* j-s Ankunft, Besuch o.Ä. / ein bestimmtes Ereig-
> nis mit Spannung u. Freude erwarten: *sich auf den
> Urlaub f.; Ich freue mich schon ...*

Viele Verben kann man reflexiv benutzen.
Sich selbst oder andere:

Claudia schminkt ihren Sohn.   Claudia schminkt sich.

(sich) schminken, (sich) waschen, (sich) duschen, (sich) anziehen, (sich) kämmen,
(sich) rasieren, ...

Modalverben im Präteritum

Ich **wollte** immer ans Meer fahren, aber ich **konnte** nicht. Wir hatten kein Geld.

‹ **Durftest** du auf der Straße spielen?
❙ Klar, aber wir **mussten** um sechs Uhr zu Hause sein.

Infinitiv		**wollen**	**können**	**dürfen**	**müssen**
Singular	ich	wollte	konnte	durfte	musste
	du	wolltest	konntest	durftest	musstest
	er/sie/es	wollte	konnte	durfte	musste
Plural	wir	wollten	konnten	durften	mussten
	ihr	wolltet	konntet	durftet	musstet
	sie/Sie	wollten	konnten	durften	mussten

Grammatik kompakt

Adjektive

Adjektive nach einem unbestimmten Artikel

	der ▨	das ✕	die ✿	die (Pl.)
Nominativ Oh, …	ein **neuer** Computer.	ein **neues** Telefon.	eine **neue** Kollegin.	**neue** Kollegen.
Akkusativ Ich habe …	einen **neuen** Computer.	ein **neues** Telefon.	eine **neue** Kollegin.	**neue** Kollegen.
Dativ Ich arbeite mit …	einem **neuen** Computer.	einem **neuen** Telefon.	einer **neuen** Kollegin.	**neuen** Kollegen.

Adjektive nach dem bestimmten Artikel

	der ▨	das ✕	die ✿
Nominativ Das ist …	der **neue** Computer.	das **neue** Telefon.	die **neue** Kollegin.
Akkusativ Ich suche …	den **neuen** Computer.	das **neue** Telefon.	die **neue** Kollegin.
Dativ Ich arbeite mit …	dem **neuen** Computer.	dem **neuen** Telefon.	der **neuen** Kollegin.

	die (Plural)
Nominativ	Das sind die **neuen** Kollegen.
Akkusativ	Ich suche die **neuen** Kollegen. Weißt du, wo sie sind?
Dativ	Ich arbeite sehr gern mit den **neuen** Kollegen. Sie sind nett.

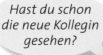

Hast du schon die neue Kollegin gesehen?

Die mit den kurzen Haaren?

🌻 *Tipp*
Adjektive mit Artikel im Dativ haben immer die Endung -en.

Steigerung der Adjektive

groß	größer	am größten

	Komparativ	*Superlativ*	
schnell	schneller	am schnellsten	der schnellste Läufer
leicht	leichter	am leichtesten	die leichteste Übung
leise	leiser	am leisesten	das leiseste Lied
groß	größer	am größten	der/das/die größte ...
hoch	höher	am höchsten	der/das/die höchste ...
viel	**mehr**	am **meisten**	der/das/die **meiste** ...
gut	**besser**	am **besten**	der/das/die **beste** ...
gern	**lieber**	am **liebsten**	der/das/die **liebste** ...

Diese Adjektive bekommen einen Umlaut:

alt	älter	am ältesten
gesund	gesünder	am gesündesten
groß	größer	am größten
hart	härter	am härtesten
hoch	höher	am höchsten
jung	jünger	am jüngsten
kalt	kälter	am kältesten
krank	kränker	am kränksten
kurz	kürzer	am kürzesten
lang	länger	am längsten
nah	näher	am nächsten
oft	öfter	am öftesten
schwach	schwächer	am schwächsten
schwarz	schwärzer	am schwärzesten
stark	stärker	am stärksten
warm	wärmer	am wärmsten

Grammatik kompakt

Pronomen

Reflexivpronomen im Akkusativ

ich	freue	**mich**
du	freust	**dich**
er/sie/es	freut	**sich**
wir	freuen	**uns**
ihr	freut	**euch**
sie/Sie	freuen	**sich**

Personalpronomen im Dativ

Rolf mag die alten Leute, weil sie **ihm** Geschichten von früher erzählen.

Ingrid geht ins Nachbarschaftshaus und die Kinder zeigen **ihr** die Hausaufgaben.

◄ Gefällt **dir** das Freiwillige Soziale Jahr?
▌ Ja, es gefällt **mir** sehr gut.

Nominativ	Akkusativ	Dativ
ich	mich	**mir**
du	dich	**dir**
er	ihn	**ihm**
sie	sie	**ihr**
es	es	**ihm**
wir	uns	**uns**
ihr	euch	**euch**
sie	sie	**ihnen**
Sie	Sie	**Ihnen**

*Wie geht es **dir**?*

***Mir** geht es gut, danke!*

◄ Hilfst du **uns**?
▌ Natürlich helfe ich **euch**.

*Wie du mir,
so ich dir!
Wie er ihr,
so sie …*

Präpositionen

Verben mit Präpositionen

Ich **freue** mich schon **auf** Samstag. Da will ich mit Ina ins Kino. Ich will ihr Blumen mitbringen. Hoffentlich **freut** sie sich **über** Blumen! Ich **denke** den ganzen Tag **an** Ina und **warte auf** ihren Anruf. Ich **interessiere** mich **für** nichts anderes mehr. Aber ich **ärgere** mich **über** das Telefon, weil es nicht klingelt!

Wor**auf** freust du dich? – **Auf** meinen Geburtstag.
Wor**über** freust du dich? – **Über** das schöne Geschenk.
Wor**an** denkst du? – **An** meine Freundin.
Wof**ür** interessierst du dich? – **Für** Musik.

Andy freut sich auf Samstag.   *Ina freut sich über die Blumen.*

> – *an, auf, über, für* + Akkusativ
> – *mit* + Dativ
> Eine Liste finden Sie auf Seite 156.

Wechselpräpositionen

an • auf • hinter • in • neben • über • unter • vor • zwischen

Wohin? → + Akkusativ

Maria hängt die Jacke **in den** Schrank.

Sie **stellt** die Bücher **ins** Regal.

Sie **setzt** die Puppe **auf das** Bett.

Sie **legt** das Heft **in die** Schublade.

Wo? ⊙ + Dativ

Die Jacke hängt **im** Schrank.

Die Bücher **stehen im** Regal.

Die Puppe **sitzt auf dem** Bett.

Das Heft **liegt in der** Schublade.

Alle unregelmäßigen Perfektformen finden Sie im Anhang. 155

Grammatik kompakt

Der Satz

Sätze mit Dativ

Sie **hilft** *den Kindern* bei den Hausaufgaben.

Wie **gefällt** es *dir* in Deutschland? – Es **gefällt** *mir* sehr gut hier.

Sätze mit Dativ und Akkusativ

Wer?		*Dativ (Wem?)*	*Akkusativ (Was?)*
Der Sohn	**schenkt**	seiner Mutter	Blumen.
Wir	**zeigen**	euch	die Wohnung.
Bringst du		mir	einen Kaffee?
Schreibt ihr		uns	eine Karte?
Gib		deiner Schwester	die Schokolade!

Vergleiche

Klaus ist **kleiner** als Nadine und Nadine ist **größer** als Klaus.

Doris ist **genauso** groß wie Iris.

Maria läuft **schneller** als Lisa, aber Hanna läuft **am schnellsten**. Sie ist **die schnellste** Läuferin.

Arbeiten die Menschen in der Schweiz wirklich **länger** als in der Türkei?
Warum lachst du in Deutschland nicht **so viel** wie auf Kuba?
Im Kosovo gibt es **weniger** Freizeitaktivitäten als in Österreich. Das Angebot ist hier **besser**.

Nebensätze

Nebensätze mit *dass* und *ob* (indirekte Wiedergabe von Aussagen und Fragen)

Sabine Weiß: „Ich arbeite halbtags. Ich möchte gern Vollzeit arbeiten."

Hauptsatz	*Nebensatz*		
Sie sagt,	**dass** sie halbtags		arbeitet.
Sie sagt,	**dass** sie gern Vollzeit	arbeiten	möchte.

Sabine Weiß: „Gibt es einen anderen Kindergarten? Kann Lina den Kindergarten wechseln?"

Hauptsatz	*Nebensatz*		
Sie fragt,	**ob** es einen anderen Kindergarten		gibt.
Sie fragt,	**ob** Lina den Kindergarten	wechseln	kann.

Nebensätze mit *als* (temporal)

Nebensatz	*Hauptsatz*
Als ich 26 Jahre alt war,	habe ich geheiratet.

Hauptsatz	*Nebensatz*
Ich habe geheiratet,	**als** ich 26 Jahre alt war.

Nebensätze mit *weil*

Hauptsatz	*Nebensatz*
Ich muss sparen,	**weil** ich Schulden habe.
Warum hast du am Sonntag keine Zeit?	**Weil** meine Eltern kommen.

> 🌻 *Tipp*
>
> *Nebensätze mit **als** immer in der Vergangenheit. Der Nebensatz kann vor oder nach dem Hauptsatz stehen.*
> *Wenn der Hauptsatz am Ende steht, springt das Verb.*

Nebensätze mit *wenn*

Nebensatz	*Hauptsatz*
Wenn Sie ein Fan sind,	(dann) sehen Sie jedes Spiel.

Hauptsatz	*Nebensatz*
Sie sehen jedes Spiel,	**wenn** Sie ein Fan sind.

Hörtexte

Hier finden Sie die Hörtexte, die nicht in den Einheiten und Übungen abgedruckt sind.

Kursbuch-CD

1 Flexibel und mobil

3

Max:	Ja, hallo?
Julia:	Ich bin's. Und, wie war's?
Max:	Gut. Ich habe den Job!
Julia:	Super! Herzlichen Glückwunsch.
Max:	Jetzt muss ich also pendeln und wir sehen uns nur noch am Wochenende.
Julia:	Ja. ... Aber der Job gefällt dir, oder?
Max:	Ja. Ich glaube, die Arbeit ist gut und die Kollegen sind nett.
Julia:	Das müssen wir heute Abend feiern! Wann bist du zu Hause?

15

Dialog wie Aufgabe 16

2 Wie die Zeit vergeht

1 a)

1. Bitte stehen Sie auf. Dirigieren Sie.
2. Bitte bleiben Sie eine Minute ruhig stehen.
3. Bitte schreiben Sie. Schreiben Sie, was Sie wollen, aber machen Sie keine Pause!
4. Bitte begrüßen Sie die anderen im Kurs.

11

1. Zeit   2. so   3. Zahl   4. sauber   5. zieht   6. zelten

18

Ich freue mich auf die Sommerzeit. / Ich freue mich auf deine Hochzeit. / Ich freue mich auf deinen Besuch. / Ich freue mich auf meinen Geburtstag. / Ich freue mich über den Job. / Ich freue mich über die Blumen. / Ich freue mich über die Einladung.

3 Generationen

14

◀ Kannst du mir bitte mal die Milch geben?
◀ Darf ich das machen? Ach bitte.
◀ Na gut, aber ganz vorsichtig. Du musst viel rühren.
◀ Ist das gut so?
◀ Super.

15

Moderator:	Sie hören Radio 11. In unserer Reihe „Leute heute" sprechen wir mit Heidrun Bräuer. Sie engagiert sich beim Großelterndienst. Frau Bräuer, was ist der Großelterndienst?
Frau Bräuer:	Das ist ein Projekt vom Mütterzentrum. Es bringt junge Familien mit älteren Menschen zusammen. Ein Beispiel: Eine junge Familie ist aus einer anderen Stadt hierhergezogen. Jetzt sind die Großeltern nicht mehr in der Nähe und sie fehlen. Diese Familie kann sich beim Mütterzentrum melden. Auch die älteren Leute melden sich hier und bekommen so Kontakt zu einer Familie.
Moderator:	Sie haben also beim Großelterndienst angerufen und dann gleich eine Familie bekommen?
Frau Bräuer:	Ja. Wir haben uns alle dort getroffen und ich habe mich gleich in Paul verliebt. Das war vor sechs Jahren. Da war er noch ein Baby.
Moderator:	Sechs Jahre haben Sie schon Kontakt zu Ihrer Leihfamilie? Das ist eine lange Zeit. Da gehören Sie ja schon zur Familie, oder?
Frau Bräuer:	Ja, jeden Montag hole ich Paul von der Schule ab und wir haben unseren gemeinsamen Nachmittag. Manchmal schläft er auch bei mir. Und natürlich komme ich zu den Geburtstagen.
Moderator:	Und was machen Sie so?
Frau Bräuer:	Wir backen, gehen auf den Spielplatz oder lesen zusammen Geschichten.
Moderator:	Ist Paul für sie ein richtiger Enkel?
Frau Bräuer:	Ich wollte schon immer Enkel haben, aber bei meiner Tochter hat es leider nicht geklappt. Aber mit Paul habe ich einen Enkel, ja. Wir verbringen viel Zeit zusammen und ich sehe, wie er langsam groß wird. Das ist toll.
Moderator:	Sprechen Sie mit Ihren Bekannten oder Freunden über den Großelterndienst?
Frau Bräuer:	Ja, sehr oft. Ich empfehle ihn auch immer meinen Freundinnen. Es ist einfach eine tolle Sache. Man bekommt Kontakt, fühlt sich jung und gebraucht und sieht diese Freude bei den Kindern.
Moderator:	Dann wollen wir diese Empfehlung weitergeben: Rufen Sie doch einfach mal beim Mütterzentrum an und informieren Sie sich. Die Telefonnummer ist die 0351-66 58 09. Die Ansprechpartnerinnen …

4 Mein Zuhause

1b)

Pia:	Hallo Jana. Stell dir vor, ich habe jetzt eine eigene Wohnung. Du musst mich bald besuchen kommen.
Jana:	Du bist ausgezogen? Das war viel Arbeit, oder?
Pia:	Ja, aber es hat auch Spaß gemacht. Ich habe das erste Mal ein Wohnzimmer eingerichtet. So wie es mir gefällt.
Jana:	Und, wie sieht es aus?
Pia:	Alles ist ganz modern, hell und freundlich. Ich habe ein weißes Sofa. In der Mitte steht ein Glastisch. Ich habe Kerzen auf den Tisch gestellt. Das ist sehr gemütlich. An der Wand über dem Sofa hängt ein großes Bild. In der Ecke steht eine weiße Lampe aus Papier. Sie sieht gut aus und war ganz billig.
Jana:	Aber insgesamt hast du bestimmt viel Geld ausgegeben?
Pia:	Es geht. Den Tisch habe ich gebraucht gekauft. Den Fernseher und das Bild hatte ich schon. Nur das Sofa war etwas teuer. Aber meine Eltern haben es bezahlt. Sie finden mein Wohnzimmer viel zu leer, aber mir gefällt es so.
Jana:	Ich komme bald, das muss ich sehen. Glückwunsch zur neuen Wohnung!

9

Monika:	Hallo, Papa.
Vater:	Hallo, Monika. Wie geht es Dir?
Monika:	Gut, Danke. Ich bin richtig fit. Und weißt du, warum?
Vater:	Nein.
Monika:	Ich habe meine Wohnung umgeräumt – nach Feng Shui.
Vater:	Nein. Wirklich!? Und was hast du verändert?
Monika:	Ich habe den Fernseher ins Wohnzimmer gestellt. Im Schlafzimmer sind jetzt auch keine Pflanzen mehr. Ich habe sie alle ins Wohnzimmer, in die Küche und in den Flur gestellt.
Vater:	Aha
Monika:	Und ich habe das Bett in die andere Ecke, neben die Tür gestellt. Meinen großen Spiegel habe ich an die andere Wand gehängt. Das Schlafzimmer sieht jetzt ganz anders aus. Und wirklich toll ist: Ich schlafe jetzt viel besser. Ich bin ganz begeistert.
Vater:	Schön. Aber meinst du wirklich, dass das an diesem chinesischen Kram liegt?
Monika:	Aber Papa, ...

13
Station 1

Merhad:	Simay, bitte schau doch mal in den Mietvertrag: Müssen wir die Wohnung renovieren oder nicht?
Simay:	Ja, Moment. ... Weißt du, wo der Mietvertrag ist?
Merhad:	Ich habe ihn im Wohnzimmer auf den Schreibtisch gelegt.
Simay:	Ich finde ihn nicht.
Merhad:	Hier liegt er doch. Also, im Mietvertrag steht, dass wir Schönheitsreparaturen machen müssen.

Simay:	Und was genau sind Schönheitsreparaturen?
Merhad:	Das heißt, dass wir die Wände, die Decken und auch die Türen und Fenster regelmäßig streichen müssen.
Simay:	Regelmäßig? Was heißt das?
Merhad:	Gute Frage. Moment, hier steht, dass der Mieter die Wände und Decken in der Küche und im Bad alle drei Jahre, im Wohn- und Schlafzimmer und auch im Flur alle fünf Jahre streichen muss.
Simay:	Na toll. Dann müssen wir die Küche, das Schlafzimmer und auch das Wohnzimmer streichen. Das dauert doch ewig.

5 Rund ums Geld

7

Klaus:	Warte, ich hole noch schnell einen Kontoauszug ... Das gibt's doch nicht, wir haben zwölf Euro nur für unser Konto bezahlt!
Susanne:	So viel?
Klaus:	Ja, wir zahlen drei Euro Gebühren im Monat und für jede Überweisung müssen wir extra zahlen.
Susanne:	Ich habe gelesen, dass es bei der Stadtbank ein Girokonto ohne Gebühren gibt.
Klaus:	Ja? Ich kann ja mal einen Termin machen und fragen.
Susanne:	Ja, mach das, und dann wechseln wir die Bank.

6 Miteinander leben

2

‹ Hi Andreas. Habe ich dir erzählt, dass wir umgezogen sind?

▌ Ach ja? Wo wohnt ihr jetzt?

‹ In Maxhof.

▌ Das ist der Stadtteil im Norden, oder? Wie ist es dort?

‹ Naja, in unserem Haus gibt es fast nur alte Leute und keine Kinder. Manche Nachbarn finden es gut, dass jetzt ein bisschen Leben in das Haus kommt, andere finden es nicht so gut.

▌ Was heißt das? Gibt es Ärger?

‹ Ja klar. Sie sagen, die Kinder sind zu laut, mittags muss Ruhe sein. Dann dürfen die Kinder nur leise spielen ... aber, na ja, es sind Kinder. Das ist manchmal sehr anstrengend. Aber die Straße insgesamt ist toll, sehr lebendig ...

▌ Ja? Erzähl, wie ist sie?

‹ Maxhof ist ein sehr bunter Stadtteil. Hier leben Familien aus vielen Ländern. Schau, unsere Paula hat eine neue Freundin. Sie heißt Thuy und ist aus einer großen vietnamesischen Familie im Haus nebenan. Wir waren zum Tee bei ihnen, sie haben von Vietnam erzählt und das war sehr interessant. Und dann Deniz, ich habe ihn beim Autowaschen kennengelernt. Er ist Türke und er hat mich gefragt, ob ich mit zum Fußball komme, in der Nähe gibt es einen Verein.

▌ Das hört sich doch gut an ...

‹ Ja, und es gibt noch mehr Vorteile: ganz in der Nähe ist eine sehr nette Kneipe. Dort tref-

Hörtexte

fen wir neue Leute, können Karten spielen und quatschen. Gleich um die Ecke ist der Wochenmarkt, jeden Dienstag und Freitag. Da macht das Einkaufen Spaß. Und die Lage ist toll: Die U-Bahn ist nah, ich brauche nur ein paar Minuten zur Arbeit und es gibt auch zwei Supermärkte, einen Kindergarten und einen großen Spielplatz in der Nähe. Nur die Schule von Paula ist etwas weit weg. Aber man kann nicht alles haben.

14 b)

A: Ich heiße Ingrid, ich bin 63 Jahre alt und habe früher als Lehrerin gearbeitet. In meinem Stadtteil gibt es ein Nachbarschaftshaus. Zweimal die Woche treffe ich dort Kinder von 8 bis 16 Jahren. Sie zeigen mir ihre Hausaufgaben und ich helfe ihnen.

B: Ich heiße Günther und bin 46 Jahre alt. Ich liebe Fußball und bin schon seit über zwanzig Jahren im Sportverein hier in Neumünster. Ich trainiere die Kleinen. Zweimal die Woche bin ich auf dem Sportplatz. Ich schenke dem Verein viel Zeit, aber die Kinder geben mir auch viel Energie.

C: Ich heiße Annika. Ich bin 23 und Studentin. Vor zwei Jahren bin ich mit einer Freundin das erste Mal zur Berliner Tafel gegangen. Viele Supermärkte und Restaurants geben der Tafel Lebensmittel. Stell dir vor, früher haben sie die weggeschmissen! Wir sortieren die Lebensmittel und geben sie an Suppenküchen und andere Hilfsorganisationen weiter.

D: Ich heiße Rolf, ich bin 16 Jahre alt. Ich bin seit letztem Jahr mit der Schule fertig und mache jetzt ein Freiwilliges soziales Jahr in einem Altersheim. Ich helfe dem Pflegepersonal und unterhalte die alten Leute. Ich bringe ihnen Getränke, spiele mit ihnen oder lese ihnen vor. Manchmal erzählen Sie mir Sachen von früher, das ist sehr interessant. Viel besser als Geschichte in der Schule!

19 a)

Moderator:	Sie wollen oder können Ihre Wäsche nicht selbst bügeln? Aber sie können sehr gut backen? Tauschen Sie ihr Talent doch einfach. Diese Idee war der Beginn für den „Tauschring" bei der Nachbarshaftshilfe in Neuendorf. Frau Roos, Sie haben das Projekt „Tauschring" organisiert. Erzählen Sie unseren Hörern und Hörerinnen doch bitte mal, wie das Konzept funktioniert.
Frau Roos:	Ganz einfach. Stellen Sie sich vor: Frau A kann super Kuchen backen, hat aber Probleme mit dem Schrankaufbau in ihrem Schlafzimmer. Frau B kann gut Schränke aufbauen, braucht aber einen Computerspezialisten. Student C weiß fast alles über Computer, braucht aber noch einen Kuchen für die Party nächste Woche. Schon schließt sich der Kreis.
Moderator:	Und woher weiß A, dass B einen Schrank aufbauen kann?
Frau Roos:	Man meldet sich im Internet als Mitglied an und dann kann jeder Teilnehmer sein Angebot oder Gesuch ins Internet stellen.
Moderator:	Ich bin das erste Mal dabei und suche etwas. Muss ich dann auch sofort etwas anbieten?
Frau Roos:	Nein, müssen Sie nicht. Sie können auch mit Euro bezahlen. Aber es geht eben auch ohne Geld. Das funktioniert so: Jeder hat ein Konto. Bügel ich zum Beispiel für einen anderen die Wäsche, bekomme ich auf mein Konto eine bestimmte Anzahl „Talente" gutgeschrieben. Mit diesen Talenten kann ich dann z. B. den Computerspezialisten bezahlen.

Moderator:	Ich kann also mit meiner Zeit oder mit Geld bezahlen?
Frau Roos:	Ja genau. Ich habe die Wahl. Man kann z. B. auch eine Hälfte in Talenten und die andere Hälfte in Euro bezahlen. Um den Preis handelt man mit dem Tauschpartner, wie auf einem Bazar …
Moderator:	Warum machen Sie das Projekt?
Frau Roos:	Es ist ein sehr soziales Konzept, wirklich alle können mitmachen, weil es eben auch ohne Bargeld funktioniert. Das ist besonders für Arbeitslose toll. Sie haben oft viel Zeit, aber wenig Geld.

7 Sport

2a)

Erkan Özdemir:
Ich selbst bin nicht so sportlich, aber mein Sohn Hakim spielt seit zwei Jahren Fußball im Verein. Zweimal pro Woche trainiert er mit seiner Mannschaft und fast jeden Samstag gibt es ein Turnier.

Olga Petrova:
Ich mache überhaupt keinen Sport. Ich habe keine Zeit und ehrlich gesagt macht es mir auch nicht so viel Spaß. Ich lese lieber oder treffe Freunde in der Stadt.

Jens Neumann:
Ist Schach auch Sport? Wenn ja, dann mache ich auch Sport. Ich liebe Schach. Ich spiele jeden Tag am Computer und mit Freunden auch – am Wochenende in der Kneipe oder so. Das ist sehr spannend.

Teresa Bertani:
Nun ja, ich bin keine typische Sportlerin. Ich gehe nicht regelmäßig zum Training oder nehme an Turnieren teil. Aber ich spiele im Sommer im Park gerne mit meiner Familie Tischtennis oder wir gehen wandern und schwimmen.

6b)

Interview A:
◁ Entschuldigung, eine Frage: Sind Sie ein Fan?
▮ Ja, ich bin ein großer Fan vom FC Bayern München! Das war schon immer mein Lieblings-verein. Meine Freunde und ich, wir haben alle Dauerkarten. Wenn Sie ein Fan sind, dann wollen sie natürlich jedes Spiel sehen. Das schaffe ich leider nicht immer, aber ich sehe so viele wie möglich.

Interview B:
◁ Hallo, ich habe eine Frage: Sind Sie ein Fan?
▮ Ich interessiere mich sehr für Fußball. Mein Lieblingsclub ist Schalke. Ich gehe nicht so oft ins Stadion, weil ich keine Zeit habe, aber ich gucke jede Woche die Sportschau oder lese montags die Spielergebnisse in der Zeitung.

Hörtexte

Interview C:

◂ Guten Tag, darf ich Ihnen eine Frage stellen? Sind Sie Fans?

▮ Wir kommen aus Hamburg und meine Söhne sind beide große St. Pauli-Fans. Sie wollen immer neue Fanartikel haben. Erst war es nur ein Schal, dann eine Mütze und ein T-Shirt und jetzt hat sich mein Großer zum Geburtstag sogar St. Pauli-Bettwäsche gewünscht.

10 b)

◂ Tanja Gerhard.

▮ Hallo Tanja, ich bin's, Jana.

◂ Was ist los? Du klingst so fertig.

▮ Ich kann heute leider nicht mit zur Party von Jonas kommen. Ich hatte gestern beim Volleyball-Training einen Unfall.

◂ Oh, nein! Was ist denn passiert?

▮ Ich bin umgeknickt. Mein Fuß hat so weh getan. Ich musste sogar ins Krankenhaus.

◂ Und wie geht es dir jetzt? Wo bist du?

▮ Ich bin schon wieder zu Hause, aber ich muss das Bein jetzt ruhig halten und kann erst mal nicht laufen.

◂ Das ist ja doof, kann ich dich gleich besuchen kommen?

▮ Ja klar, gerne …

11

◂ Hallo, ist da der Rettungsdienst?

▮ Ja, wer spricht da, bitte?

◂ Ute Bär.

▮ Was ist denn passiert?

◂ Meine Tochter ist beim Volleyball umgeknickt.

▮ Wo ist der Unfall passiert?

◂ Hier im Verein, Greuther Str. 7.

▮ Ist noch jemand verletzt?

◂ Nein.

▮ Kann Ihre Tochter noch laufen?

◂ Nein, sie hat große Schmerzen.

17 b)

Warum braucht ein Text Satzzeichen? Mit Satzzeichen kann man einen Text leichter verstehen. Wenn man einen Text liest, kann man die Satzzeichen an den Pausen und der Intonation hören. Üben Sie Pausen und Intonation. Lesen Sie langsam und deutlich einen Text vor. Die anderen machen eine Geste, wenn sie einen Punkt, ein Komma oder ein Fragezeichen hören. Können Sie die Satzzeichen jetzt selbst setzen? Üben Sie auch mit anderen Texten aus *Ja genau*, denn das hilft beim Lesen, Schreiben und Sprechen.

Lerner-CD: Hörtexte der Übungen

Übungen 1

Zu 3
2)

Julia: Herzlichen Glückwunsch. Prost. Toll, ein neuer Job. Sag mal, wann musst du eigentlich anfangen?

Max: Ich fange schon nächste Woche an. Eine Kollegin ist krank. Die Chefin braucht schnell Hilfe.

Julia: Dann brauchst du eine Wohnung in Hamburg.

Max: Ja. Aber das ist kein Problem. Die Chefin vermietet eine Wohnung. Sie ist in der Nähe vom Bahnhof. Ich habe sie schon gesehen. Sie ist okay.

Julia: Und wie viel verdienst du genau?

Max: 2.400 Euro.

Julia: Nicht schlecht. Wie lange bist du heute gefahren?

Max: Vier Stunden. Hmmmm. Der Sekt ist wirklich gut.

Zu 6
3)

Ich gehe zu Fuß zur Arbeit. / Ich fahre mit dem Bus zur Arbeit. / Ich brauche jeden Morgen eine Stunde zur Arbeit. / Ich fahre jeden Montag 200 Kilometer zur Arbeit. / Ich arbeite zu Hause. / Ich fahre mit dem Fahrrad zur Arbeit.

Zu 16

Ich habe einen neuen Konditor. Er heißt Max Giebel. Er ist ein ruhiger Mensch. Und ich glaube, er ist ein netter Kollege. Er hat tolle Ideen für neue Kuchen. Er wohnt mit seiner Familie in Anklam. Das ist eine lange Fahrt. Er pendelt am Wochenende. Er hat hier in Hamburg eine kleine Wohnung.

Zu 18

Puh, das war eine anstrengende Woche. Ich habe viel gearbeitet und viele tolle Kuchen gebacken. Meine neuen Kollegen sind sehr lustig. Und ich habe eine nette Chefin. Ich habe in Hamburg eine schöne Wohnung gemietet. Die Wohnung hat ein helles Zimmer, eine kleine Küche und ein kleines Bad. Aber es ist eine lange Fahrt von Hamburg nach Anklam. Mit meinem alten Auto ist das nicht lustig. Gestern habe ich in einem langen Stau gestanden. Ich habe fünf Stunden gebraucht.

Übungen 2

Zu 2
3)

1. ◂ Hi Peter, wann kommst du morgen?
   ▸ Ich bin um sieben Uhr dreiundvierzig am Bahnhof. Holst du mich ab?
   ◂ Na klar, ich bin um Viertel vor acht da.

2. Tragen Sie die Termine bitte ein: Wir treffen uns das erste Mal am zweiten Juni in der Johannisstraße 25, in Münster; dann noch einmal am …

3. ◂ Wir können morgen früh zum Ausländeramt gehen.
   ▸ Und Melek?
   ◂ Was ist mit Melek?
   ▸ Trefft ihr euch nicht morgen früh?
   ◂ Nein, ich treffe Melek erst am Nachmittag.

Zu 12

1. Seit zwei Jahren habe ich ein Problem mit der Zeitumstellung.
2. Wie viel bezahlst du für das Salz?
3. Ich bin schon so lange nicht mehr im Zoo gewesen.
4. Wir zelten leider nur selten.
5. Der Sommer ist immer superkurz, zu kurz.

Zu 15
1)

Das Haus ist schrecklich. Der Müll steht im Treppenhaus und ich muss mich immer mit den Nachbarn streiten. Sie interessieren sich überhaupt nicht für die Hausordnung. Ihre Kinder machen Krach und ich ärgere mich jeden Tag über sie. Die Haustür ist auch kaputt. Ich habe den Hausmeister angerufen, aber ich warte schon drei Stunden auf ihn. Unmöglich!

Übungen 3

Zu 4
1)

Als ich ein Kind war, musste ich oft zu Hause helfen. Mit 14 Jahren habe ich von einem Fahrrad geträumt, aber wir hatten wenig Geld. Als ich 21 war, musste ich zur Armee.
Der Krieg war eine schlimme Zeit. Dann habe ich meine Frau kennengelernt und wir haben zwei Kinder bekommen.
Die 60er und 70er Jahre waren vor allem Alltag: Arbeit bei der Stadt als Busfahrer, Haushalt, Kinder, Fußball.
Seit 1983 bin ich nun schon Rentner. Am Anfang sind meine Frau und ich sehr viel verreist. Dann ist meine liebe Frau nach 67 Jahren Ehe leider gestorben. Das war hart. Ich wohne heute bei meinem Sohn im Haus und genieße das Leben.

Zu 10

2)

‹ Warum bist du nicht gekommen? Ich habe eine Stunde auf dich gewartet!

▌ Ich wollte ja kommen, aber ich konnte gestern nicht ausgehen.

‹ Warum konntest du nicht ausgehen?

▌ Eine Freundin hat angerufen. Sie musste sofort reden. Sie hatte Streit mit ihrem Freund.

‹ Warum?

▌ Er wollte nicht ins Kino mitkommen.

3)

Ich durfte nicht kommen. / Er konnte nicht arbeiten. / Wir wollten nicht aufstehen. / Sie mussten wegfahren. / Ich musste zwei Stunden warten. / Wir konnten es nicht umtauschen. / Sie musste unterschreiben. / Ich wollte um sechs schlafen gehen. / Er konnte das Auto nicht reparieren.

Übungen 4

Zu 8

Liegt die Katze auf der Heizung? / Liegt die Katze auf dem Bett? / Sitzt die Katze auf dem Stuhl? / Liegt die Katze auf dem Baum? / Sitzt die Katze im Schrank?

Zu 12

Sie heißt Susanne und ist so süß.

Zu 13

3)

Simay: Stellen Sie bitte die Kartons mit einem grünen Punkt ins Wohnzimmer. Passen Sie bitte auf! Die Pflanzen müssen Sie vorsichtig auf den Balkon tragen.

Helfer: Und die Regale? Wohin sollen wir die stellen?

Simay: Die Regale sollen ins Arbeitszimmer. Ah, und das sind Teile von unserem Bett. Das Bett und den Schrank bringen Sie bitte ins Schlafzimmer.

Helfer: Wo finden wir das?

Simay: Es ist das dritte Zimmer auf der linken Seite. Stellen Sie den Schrank dort bitte an die Wand neben das Fenster. Das Bett soll dann an der Wand neben der Tür stehen.

Helfer: Wir haben noch Kisten mit einem roten Punkt. Wohin sollen wir die stellen?

Simay: Umzugskisten mit einem rotem Punkt tragen Sie bitte in die Küche. Die Teller kommen in den Schrank und das Besteck legen Sie in die Schublade.

4)

Rolle 1: Umzugsfirma Avanti. Guten Tag.
Rolle 2: Wir wollen am 23. August umziehen. Geht das an dem Termin?
Rolle 1: Ja, das geht. Von wo nach wohin geht der Umzug?
Rolle 2: Von der Müllerstraße in die Waldemarstraße.
Rolle 1: In welchem Stock liegen die Wohnungen?
Rolle 2: Die erste Wohnung liegt im 2. Stock. Die zweite Wohnung im 4. Stock. Es gibt aber keinen Lift.
Rolle 1: Wissen Sie schon, wie viele Kisten wir transportieren müssen?
Rolle 2: Wir brauchen ungefähr 40 Kisten. Bekommen wir die von Ihnen? Und wie teuer ist das?
Rolle 1: Die Kisten sind gratis. Der Lkw mit zwei Umzugshelfern kostet pro Tag circa 850 Euro.
Rolle 2: Gut, dann möchte ich den Termin reservieren.

Übungen 5

Zu 1

1)

Geld? Ach, wissen Sie, Geld ist nicht so wichtig. Man muss es nur haben. Ich verdiene nicht schlecht. Und das ist gut so. Denn ich liebe das Geld. Es macht schön! Es macht frei! Wollen Sie mal sehen? Hier: mein Haus, mein Auto, mein Tennisclub und mein Boot. Toll, nicht? Ich habe alles!
Gut, ich habe oft keine Zeit für das Boot und zum Tennis gehe ich schon lange nicht mehr. Ich arbeite fast immer – das Geld muss ja irgendwo herkommen ...

Zu 8

Rolle 1: Guten Tag, was kann ich für Sie tun?
Rolle 2: Ich möchte die Bank wechseln und ein Konto eröffnen.
Rolle 1: Sehr gerne. Haben Sie an ein Sparkonto oder an ein Girokonto gedacht?
Rolle 2: Ich brauche ein Girokonto. Wie hoch sind da die Kontogebühren?
Rolle 1: Machen Sie Online-Banking?
Rolle 2: Ja, ich habe einen Computer zu Hause.
Rolle 1: Dann ist das Konto gebührenfrei. Wollen Sie auch eine Kreditkarte?
Rolle 2: Was kostet sie denn?
Rolle 1: Mit allen Versicherungen kostet sie 20 Euro im Jahr.
Rolle 2: Hm, ich weiß noch nicht. Ich nehme jetzt erstmal nur das Konto mit einer EC-Karte.
Rolle 1: Natürlich. Haben Sie Ihre EC-Karte von der alten Bank dabei? Und ich ...

Zu 13

Die Lehrerin ist blond. / Das Kind ist süß. / Der Nachbar ist nett. / Herr Meier ist unfreundlich. / Ihre Familie ist anstrengend. / Ihr Onkel ist dick. / Der Kurs ist chaotisch.

Zu 14

Gestern habe ich den netten Nachbarn getroffen. Er wollte Geld sparen und hat in unserem dunklen Treppenhaus neue Energiesparlampen montiert. Am Ende war das ein teurer Spaß. Er ist nämlich von der hohen Leiter gefallen und all die schönen Lampen sind kaputt gegangen.

Übungen 6

Zu 4
1)

Text A:
Im Moment ist es noch sehr schwierig für uns hier in der Schweiz, weil wir noch nicht so gut Deutsch sprechen. Aber wir machen einen Sprachkurs und dann wird es sicher bald besser. Ich hoffe, dass wir dann auch eine Arbeit finden können.

Text B:
In meinem Viertel wohnen noch viele andere Menschen aus der Türkei. Das ist schön, weil ich oft Türkisch sprechen kann. Manchmal treffen wir uns und kochen zusammen oder singen türkische Lieder. So fühle ich mich hier wie zu Hause.

Text C:
Ich bin jetzt seit sechs Wochen in Deutschland. Es ist schön hier und die Leute sind auch freundlich, aber ich vermisse meine Freunde und meine Familie sehr. Ich möchte bald wieder nach Hause.

Text D:
In den ersten Wochen in Österreich bin ich fast immer nur zu Hause geblieben. Ich wollte nicht auf die Straße gehen und Menschen treffen, weil ich nicht gut Deutsch sprechen konnte. Aber manchmal musste ich einkaufen oder zum Arzt gehen. Dann habe ich mir immer genau aufgeschrieben, was ich sagen musste, weil ich nichts falsch machen wollte. Heute ist das zum Glück viel besser.

Zu 17

Gibst du mir das Buch? / Zeigst du uns die Hausaufgaben? / Bringst du Opa einen Kaffee? / Schreibst du mir eine Postkarte? / Gibst du meiner Schwester dein Fahrrad? / Schenkst du mir dein Handy?

Zu 18
1)

Wir singen mit dir bis um vier.
Hier trinken wir immer Bier.
Helft ihr mir? – Natürlich helfen wir dir!
Fotografier das Tier!

Zu 18

2)

In Frankreich ist die Arbeitssituation genauso wie in Österreich, aber wir tun viel mehr: Wir gehen auf die Straße und demonstrieren oder streiken. In Österreich sind die Menschen viel vorsichtiger. Vielleicht denken sie, dass man nichts ändern kann.

Übungen 7

Zu 2

1) + 2)

Was ist dein Lieblingssport?
Wie oft treibst du Sport?
Mit wem machst du Sport?
Welchen Sport möchtest du gern machen?
Welche Sportsendungen siehst du im Fernsehen?
Magst du Sport überhaupt?

Zu 6

Und jetzt noch die aktuellen Bundesligaergebnisse: Der FC Bayern München gegen Schalke 04 2 : 1, Werder Bremen hat im ausverkauften Weser-Stadion gegen den 1. FC Köln 2 : 2 unentschieden gespielt, der 1. FC Nürnberg gegen Hannover 96 0 : 0. Bereits gestern spielten der VFL Bochum gegen den VFB Stuttgart 1 : 2 und Eintracht Frankfurt gegen den Hamburger SV 3 : 1.

Zu 16

1)

Wetten, dass ich schneller schwimmen kann als du? / Wetten, dass ich höher springen kann als du? / Wetten, dass ich weiter werfen kann als du? / Wetten, dass ich schöner malen kann als du? / Wetten, dass ich länger laufen kann als du? / Wetten, dass ich lauter singen kann als du?

2)

Wetten, dass meine Wohnung am kleinsten ist? / Wetten, dass mein Auto am ältesten ist? / Wetten, dass mein Rucksack am schwersten ist? / Wetten, dass mein Bauch am dicksten ist? / Wetten, dass ich am besten Pizza backe?

Alphabetische Wörterliste

Die alphabetische Liste enthält den Wortschatz der Einheiten und der Übungen.
Namen, Zahlen und grammatische Begriffe sind in der Liste nicht enthalten.
Wörter in *kursiv* müssen Sie nicht lernen.

Ein · oder ein – unter dem Wort zeigt den Wortakzent:
ạ = kurzer Vokal   a̲ = langer Vokal

Nationale Varietäten. Die deutsche Standardsprache ist u. a. in Deutschland (D), in Österreich (A) und in der Schweiz (CH) zu Hause. Aber manche Wörter benutzt man nicht in allen Ländern. Beispiel: *Abitu̲r* (D), *das, -e*: nur in Deutschland; *Matu̲ra* (A, CH), *die, **: in Österreich und der Schweiz.

Nach den Nomen finden Sie immer den Artikel und die Pluralform.
Zum Beispiel: Buch, das, "-er = das Buch, die Bücher
" = Umlaut im Plural
* = Es gibt dieses Wort nur im Singular.

Die Zahlen geben an, wo das Wort zum ersten Mal vorkommt (z. B. 7/6 bedeutet Einheit 7, Aufgabe 6 oder Ü7/14 Übungsteil der Einheit 7, Übung zu 14).

A

ạbhängen (von), hängt ạb,
  ạbgehangen 5/8
ạbheben (Geld), hebt ạb,
  ạbgehoben 5/6
Ạbholzeiten, die, nur Pl. 1/13
Abitu̲r (D), das, -e (Pl. selten)
  3/9
ạbkleben, klebt ạb, ạbgeklebt
  Ü5/12
ạbkühlen, kühlt ạb, ạbgekühlt
  Ü5/12
ạbnehmen, nimmt ạb,
  ạbgenommen 7/3b
Ạbsender, der, - Ü4/13
ạchten (auf) 5/2c
Aktio̲n, die, -en 2/15b
akti̲v 3/13
alle̲inerziehend 1/7
Alle̲inerziehende, der/die, -n
  3/13
Ạlltag, der, * 1/5
ạls 3/4
am Ẹnde 2/15b
amerika̲nisch 1/Extra
ạnbieten, bietet ạn,
  ạngeboten 3/13

ạnderer, ạnderes, ạndere
  1/4b
ändern (sich) 2/6b
Ạngestellte, der/die, -n 1/22b
Ạngst, die, "-e 6/4b
ạnkommen, kommt ạn, ist
  ạngekommen 2/20a
Ạnrede, die, -n Ü4/13
Ạnruf, der, -e 2/17a
Ạnrufbeantworter, der, - 2/3b
Ạnsprechpartner/in, der/die,
  -/-nen 3/13
Ạnweisung, die, -en 4/15a
Ạrbeitsagentur, die, -en Ü1/5
Ạrbeitslosenquote, die, -n 1/4b
ärgern (sich + über) 2/15b
Arme̲e, die, -n 3/4
atmen 2/20a
Ato̲muhr, die, -en 2/Extra
ạuffallen, fällt ạuf,
  ist ạufgefallen 6/7b
ạufhängen, hängt ạuf,
  ạufgehängt 2/21
ạufnehmen (einen Kredit),
  nimmt ạuf, ạufgenommen
  5/2b
ạufräumen, räumt ạuf,
  ạufgeräumt 2/3b

ạufschreiben, schreibt ạuf,
  ạufgeschrieben 1/22a
ạufstellen, stellt ạuf,
  ạufgestellt 4/13 St. 3
Au̲genhöhe 5/11c
Au̲sflug, der, "-e 2/15a
ạusgeben, gibt ạus,
  ạusgegeben 5/1a
au̲sgehen (ein Spiel), geht au̲s,
  ist au̲sgegangen 7/Extra
Au̲sland, das, * Ü5/9
ạusleihen, leiht ạus,
  ạusgeliehen 5/11c
Au̲srede, die, -n 5/10
Au̲ssage, die, -n 3/7
ạustauschen, tauscht ạus,
  ạusgetauscht 5/11b
au̲strinken, trinkt au̲s,
  au̲sgetrunken 6/Extra
ạuswählen, wählt ạus,
  ạusgewählt 4/4b
Au̲szahlung, die, -en 5/6
ạusziehen, zieht ạus,
  ist ạusgezogen 3/7
Au̲szug, der, "-e 4/Extra

Alphabetische Wörterliste

B

Baby, das, -s 1/7
Badmintonball, der, "-e 7/16a
Ballwechsel, der, - 7/16b
Bancomat (CH), der, -en 5/8
Bancomatkarte (CH), die, -n 5/8
Bank, die, -en 5/2c
Bankleitzahl (BLZ), die, -en 5/5a
Bankomat (A), der, -en 5/8
Bankomatkarte (A), die, -n 5/8
Bankverbindung, die, -en 5/5a
Basketball, der, * 7/1a
Baum, der, "-e 2/Extra
Baumarkt, der, "-e 4/13 St.2a
bedanken (sich + bei/für) Ü7/5
beeilen (sich) 2/3b
begeistert (sein) 3/Extra
begrüßen 2/1a
beheben, behebt, behoben 4/13
beide 1/8
Beleg, der, -e 5/6
belegt (sein) 4/Extra
beliebt 4/Extra
benutzen 5/11c
Benzin, das, * 5/11c
Beratungsstelle, die, -n 5/2b
bereitliegen, liegt bereit, bereitgelegen 4/Extra
besonders 2/15b
Besteck, das, -e Ü4/13
Betrag, der, "-e 5/5b
Betreff, der, -e Ü4/13
Betreuungszeiten, die, nur Pl. 1/7
bewegen 4/15a
bewerben (sich), bewirbt sich, hat sich beworben 1/4b
bewundern 1/Extra
bewusstlos 7/12
Biergarten, der, "- Ü7/5
bieten, bietet, geboten 6/19
*Bildung, die, * 6/Extra*
Bindung, die, -en 1/Extra

bloß 7/Extra
Boden, der, "- 6/Extra
Bohrmaschine, die, -n 5/11c
Boss, der, -e 5/Extra
brechen (sich), bricht sich, hat sich gebrochen 7/10a
Brett, das, -er 7/Extra
Brief, der, -e 1/22a
Briefmarke, die, -n 1/22a
bunt 4/1a

C

*Champagner, der, * 5/Extra*
Chor, der, "-e 3/4
Collage, die, -n 3/0

D

dabei sein, ist dabei, ist dabei gewesen 7/Extra
dass 1/11
Dauerauftrag, der, "-e 5/6
Dauerkarte, die, -n 7/6a
Decke, die, -n 4/4b
decken (Tisch) Ü4/10
demonstrieren 6/7a
deshalb 3/13
dirigieren 2/1a
diskutieren (über) 6/1
Dispokredit (D), der, -e 5/8
Dokument, das, -e 1/22a
doppelt 7/Extra
Dorf, das, "-er 3/4
Drittel, das, - 4/Extra
drucken 5/6
durchschnittlich 4/Extra
durstig Ü5/12

E

EC-Karte, die, -n 5/8
Ehe, die, -n 3/4
Ehepaar, das, -e 5/2c
ehrenamtlich 6/14

eigen 5/2c
eigentlich 4/Extra
einigen (sich + auf) 6/1
Einkauf, der, "-e 2/20b
einlegen, legt ein, eingelegt 4/Extra
Einliegerwohnung, die, -en 4/Extra
einrichten, richtet ein, eingerichtet 4/4b
einsammeln, sammelt ein, eingesammelt Ü6/14
einschalten, schaltet ein, eingeschaltet 1/22a
einschlafen, schläft ein, ist eingeschlafen 2/20
Einzahlungsschein (A, CH), der, -e 5/5
eklig 6/Extra
elegant Ü1/17
Elektrogerät, das, -e 5/11c
Elternhaus, das, "-er 4/Extra
emotional 1/Extra
Empfänger/in, der/die, -/-nen 5/5b
Energie, die, -n Ü2/13
Energieeffizienzklasse, die, -n 5/11c
Energiesparlampe, die, -n 5/11c
Engagement-Index, der, -e 1/Extra
engagieren (sich + für) 6/15
Enkel/in, der/die, -/-nen 3/15
entscheiden (sich + für), entscheidet sich, hat sich entschieden Ü3/11
Erfahrung, die, -en 6/4b
Erfahrungsbericht, der, -e 6/4b
Erfolg, der, -e 1/4b
Ergebnis, das, -se 7/6a
erinnern (sich + an) Ü7/9
Erinnerung, die, -en 3/10a
Erlebnis, das, -se 3/10a
eröffnen 5/8
erreichen 3/1
ersetzen 3/20
erwachsen 3/20

Erzähler/in, der/in, -/-nen 1/5
Erzieher/in, der/die, -/-nen
   Ü1/8
Erziehung, die, * 6/Extra
Experte, der, -n 7/Extra

F

Fachmann, der, -leute 2/3b
Fahrt, die, -en 1/4b
fallen, fällt, ist gefallen 4/13
Familiengeheimnis, das, -se
   1/Extra
Fan, der, -s 7/6
Fanartikel, der, - 7/6a
Fanclub, der, -s 7/6a
Feder, die, -n 6/11
Feiertag, der, -e 6/12
Feinkostgeschäft, das, -e
   1/Extra
fest 1/4b
festhalten, hält fest,
   festgehalten Ü4/13
feucht 4/13
Feuerwehr, die, -en 7/11
Filiale, die, -n 4/Extra
Fitnessstudio, das, -s 7/2b
fleißig Ü7/14
Freiheit, die, -en 5/0
freiwillig 6/15
Freizeitgestaltung, die, *
   6/Extra
fremd 6/4b
Fremdsprache, die, -n 3/12
freuen (sich + über/auf) 2/6b
Fundstück, das, -e 3/Extra
Funkuhr, die, -en 2/Extra
Fußballprofi, der, -s 7/Extra
Fußballverein, der, -e 6/4c

G

Gardine, die, -n Ü4/8
gebraucht fühlen (sich) 3/13
Gebühr, die, -en 5/7
gebührenfrei 5/8

Gedicht, das, -e 2/20a
Gefühl, das, -e 1/2
gegenüber 4/4b
Gehalt, das, "-er 5/8
Gehaltsbescheinigung, die, -en
   5/8
Geheimnis, das, -se 3/Extra
Geheimnummer, die, -n 5/8
gehören 5/Extra
Geldautomat (D), der, -en
   5/8
gell 3/Extra
gemein Ü7/13
gemeinsam 2/15b
gemütlich 4/2
Generation, die, -en 3/1
genießen, genießt, genossen
   3/4
genug 3/10a
gering 1/Extra
gern, lieber, am liebsten 6/9
Geschenk, das, -e 2/18
Geschichte, die, -n 6/14c
Geschirrspüler, der, - 5/11c
Gesellschaft, die, * 6/4c
gespannt (sein) 7/0
Gäste, die, -n 7/17a
gesund, gesünder,
   am gesündesten 5/11c
Gesundheitsbereich, der, -e
   6/Extra
getrennt (sein) 5/8
getrocknet 1/Extra
gewinnen, gewinnt,
   gewonnen 7/0
Girokonto, das, -en 5/8
glücklich 1/4b
Glühbirne, die, -n Ü5/12
Gold, das, * 6/11
gratis 4/13 St. 3a
Großelterndienst, der, -e 3/13
gründen 3/Extra
Gruppe, die, -n 3/4
gut, besser, am besten 6/9
Gutschein, der, -e Ü4/1

H

Hälfte, die, -n Ü5/1
hängen, hängt, gehangen
   4/1a
Harmonie, die, -n 4/4b
hart, härter, am härtesten 3/4
häufig 2/0
Hausaufgabe, die, -n 2/19b
Hausverwaltung, die, -en
   4/13 St. 4
Heimweh, das, * 6/4b
hektisch 2/3b
Helfer/in, der/die, -/-nen
   3/13
Herausforderung, die, -en 7/3b
hierher Ü6/2
Hilfsbedürftige, der/die, -n
   Ü6/14
Hilfsorganisation, die, -en
   6/Extra
hinfallen, fällt hin,
   ist hingefallen 7/10
Hobby, das, -s 1/5
hoch, höher, am höchsten
   6/9
höchstens 2/Extra
hoffen (auf) 2/15b
Hoffnung, die, -en 6/4b
Hörgerät, das, -e 3/4
Hort, der, -e 1/7
Hosentasche, die, -n 5/Extra
hungrig 5/11c

I

ideal 7/3c
im Dunkeln 2/6b
im Wechsel 2/6b
Initiative, die, -n 6/15
Integrationsbeirat, der, "-e
   6/4c
interessieren (sich + für)
   2/15b
interessiert (sein) 3/13
international 4/13
Interview, das, -s 1/5

Alphabetische Wörterliste

J

jährlich Ü5/12
jeder, jedes, jede 1/4b
Jugend, die, * 3/19

K

Kamin, der, -e 4/1a
kämmen (sich) 2/20a
kämpfen 7/0
Kampfsport, der, -arten 7/1a
Karriere, die, -n 1/7
Karte, die, -n 7/8
Karton, der, -s 4/16
Katzenklo, das, -s Ü4/10
Kauf, der, "-e 5/11c
kaum 4/Extra
Kaution, die, -en 5/6
Kindheit, die, * 3/10a
Kissen (D, CH), das, - 4/1a
Kiste, die, -n 4/0
klappen Ü5/1
klären 1/4b
klauen 3/4
Klingel, die, -n 4/13 St. 4b
Klopapierrolle, die, -n 4/Extra
Konditor/in, der/die, -en/-nen
 1/4b
Konto, das, -en 5/2b
Kontoauszug, der, "-e 5/6
Kontoinhaber/in, der/die,
 -/-nen 5/5b
Konto-Nr., die, -n 5/5a
konzentrieren (sich + auf)
 4/Extra
kopieren 1/22a
Korb, der, "-e 7/18
körperlich 7/3c
*Körperpflege, die, * * 5/1a
*Kostbare, das, * * 3/4
Kredit, der, -e 5/2b
Kreditinstitut, das, -e 5/5a
Krieg, der, -e 3/4
Krise, die, -n 7/3b
kühl 4/4b
Kultur, die, -en 6/Extra

kümmern (sich + um) 3/Extra
Kündigung, die, -en Ü4/13
Kunst, die, "-e 1/Extra
Künstler/in, der/die, -/-nen
 1/Extra

L

Lage, die, -n 6/3
Lämpchen, das, - 5/11c
Landschaft, die, -en 1/4b
Landsleute, die, nur Pl. 6/4b
langweilen (sich) 2/6b
Lärm, der, * 6/7b
lassen, lässt, gelassen Ü5/12
Läufer/in, der/die, -/-nen
 Ü7/5
Laune, die, -n 2/6b
Lebensaufgabe, die, -n 3/Extra
Lebensmittel, das, - 5/1a
leer 2/3b
*Leergut, das, * * 6/Extra
legen, liegt, (DSüd, A, CH:
 ist) gelegen 4/10a
leicht 1/21b
Leihoma, die, -s 3/15
Leiter, die, -n 4/0
leuchten 5/11c
Lift, der, -s 4/13
Lkw, der, -s 4/16
Lohnabrechnung, die, -en 5/8
lohnen (sich) 6/4b
Lotto, das, -s Ü1/17
lügen, lügt, gelogen 3/1
*Luxus, der, * * Ü1/17

M

Mal: das erste Mal, das, -e
 3/10a
Mannschaft, die, -en 7/0
Marathon, der, -s 7/3b
Marke, die, -n 4/Extra
Matura (A, CH), die, *
 (selten: Maturen) 3/9
Medien, die, nur Pl. 5/1a

meinen 1/4
Meinung, die, -en 6/7b
meistens 2/15b
melden 7/11
merken 6/7c
Mieter/in, der/die, -/-nen
 Ü4/13
Millionär/in, der/die, -e/-nen
 Ü5/1
Mit freundlichen Grüßen
 4/13 St. 4a
miteinander 6/1
Mitglied, das, -er 7/6a
Mitgliedsbuch, das, "-er 3/4
mitmachen, macht mit,
 mitgemacht 6/15
Möbel, die, nur Pl. 4/4b
Möbelhaus, das, "-er
 4/Extra
mobil 1/0
Modell, das, -e 1/14
möglich 4/13 St. 4a
Mord, der, -e 7/Extra
motivieren 7/3c
Motto, das, -s 7/Extra
*Müll, der, * * Ü2/15

N

Na und?! 3/4
Nachbarschaft, die, *
 6/14c
Nacherzählung, die, -en 1/5
Nachricht, die, -en 2/3b
nächst: am nächsten 2/3b
Nacht, die, "-e 2/6b
nah, näher, am nächsten
 1/4b
national 4/13 St. 3a
Nationalsport, der, * 7/0
Nebeneffekt, der, -e 7/3b
Netz, das, -e 7/18
neugierig 5/15c
Neustart, der, -s 5/2c
niemand 2/6b
normalerweise 1/6
Notarzt, der, "-e 7/12

Note, die, -n 2/17b
Notiz, die, -en 2/2a
Notruf, der, -e 7/11
Notzeit, die, -en (meist Pl.)
 Ü5/1
nummerieren 1/21b
*Nützliche, das, * 6/15*

O

ob 1/12
oben: von oben 3/10a
Oberschule, die, -n 3/10a
obwohl 1/Extra
offen Ü5/12
offensichtlich 4/Extra
olympisch 7/Extra
Online-Banking, das, * 5/8
ordnen 1/22a
Ordnung, die, * 4/4b
Ortsangabe, die, -n 7/Extra

P

packen 4/13
Paketbote/-in, der/die, -n/-nen
 5/2c
Papiere, die, (Pl.) 1/22a
passend 4/Extra
passieren, passiert,
 ist passiert 2/3b
Pause, die, -n 2/1a
pendeln, pendelt,
 ist gependelt 1/0
Pendler/in, der/die, -/-nen
 1/4
persönlich 6/4b
Pfandbon, der, -s 6/Extra
Pfandtastisch 6/Extra
pfeifen, pfeift, gepfiffen 6/9
Phase, die, -n 6/4b
Picknick, das, -s 2/15a
Pinsel, der, - 4/13 St. 2a
Plan, der, "-e 4/16c
Politik, die, * 2/15b
Polizei, die, * 7/11

Polster (A), der, - 4/1a
Popsong, der, -s 3/Extra
Praktikum, das, Praktika 1/22
Produkt, das, -e 4/Extra
Produktionshelfer/in, der/die,
 -/-nen Ü1/5
Projekt, das, -e 3/13
protestieren 6/1
Prozent, das, -e 1/4b
*Publikum, das, * 3/Extra*
Puppe, die, -n 4/10a

R

Radiosendung, die, -en 3/15
rasen (die Zeit rast), rast,
 ist gerast Ü2/18
rasieren (sich) 2/8
rasten 7/Extra
rausgehen, geht raus,
 ist rausgegangen 7/20
reagieren (auf) 2/8
Rechnung, die, -en 5/5a
Rechnungs-Nr., die, -n
 5/5a
Recht haben 6/7c
Regel, die, -n 4/4b
regelmäßig 5/11c
regieren 5/Extra
reich Ü5/1
Reifendruck, der, "-e 5/11c
Reiseführer/in, der/die, -/-nen
 1/Extra
Rekord, der, -e 7/16
renovieren 4/13 St. 2
Rente, die, -n Ü1/5
Rentner/in, der/die, -/-nen
 2/3b
Reporter/in, der/die, -/-nen
 5/2c
Reporterteam, das, -s 2/3b
Rettungsdienst, der, * 7/11
Rocksong, der, -s 3/Extra
Rolle, die, -n 4/13 St. 2a
Rollo, das, -s 4/1a
rosten, rostet, ist gerostet
 7/Extra

Rübe, die, -n 3/4
Rückfrage, die, -n 7/11
Ruhe: jmdn. in Ruhe lassen
 6/1
Russe/Russin, der/die,
 -n/-nen 6/4c

S

Saal, der, Säle 2/11
Schach, das, * 7/1a
schaffen 3/4
Schein, der, -e 5/15b
schenken 5/Extra
schießen (ein Tor), schießt,
 geschossen 7/Extra
Schläger, der, - 7/18
schließen, schließt,
 geschlossen 1/8
Schlimme (nichts Schlim-
 mes), das, * 4/13
Schluss machen 1/8
schmecken Ü7/5
schminken (sich) 2/8
schnarchen 2/20a
Schönheitsreparatur, die, -en
 4/13 St. 1b
Schritt, der, -e 1/5
Schulden, die, nur Pl. 5/2b
Schulferien, die, nur Pl. 1/13
Schulsachen, die, nur Pl. 5/1b
Schuluniform, die, -en 3/10a
Schulzeit, die, * 3/10a
Schwalbe, die, -n 7/19
schwedisch 4/Extra
Sehr geehrte/r 4/13 St. 4a
Sekretär/in, der/die, -e/-nen
 Ü1/2
*Sekt, der, * 5/Extra*
Sekunde, die, -n 2/0
Sender, der, - 2/Extra
Seniorenclub, der, -s 3/4
sensationell 4/13 St. 3a
*Service, der, * 4/13 St. 3a*
Sessel, der, - 4/Extra
setzen 4/10a
Siesta, die, -s 4/Extra

Alphabetische Wörterliste

Signal, das, -e 2/Extra
Skizze, die, -n 4/3
Snowboardprofi, der, -s 7/Extra
Sommerzeit, die, * 2/6b
sozial 6/15
Sozialbereich, der, -e 6/Extra
sparen 5/1b
spenden 6/Extra
Spendenbox, die, -en 6/Extra
Spezialist/in, der/die, -en/-nen
  4/13 St. 3a
Spielkonsole, die, -n, 8/0
Spieler/in, der/die, -/-nen
  Ü7/1
Spielplatz, der, "-e 3/15
Sport treiben, treibt Sport,
  Sport getrieben 7/0
Sportart, die, -en 7/1
Sportgestaltung, die, * 6/Extra
Sportler/in, der/die, -/-nen
  7/19
Sportplatz, der, "-e 7/10
Sportschau, die, * 7/6a
Sportsendung, die, -en 7/2b
Sportteil, der, -e 2/15b
springen, springt,
  ist gesprungen 6/9
Spülmaschine (D), die, -n
  5/11c
Stadtteil, der, -e 6/2
Stand-by-Modus, der, * 5/11c
statt 1/7
stattfinden, findet statt,
  stattgefunden Ü7/5
Statue, die, -n 4/15a
Stau, der, -s 1/16
Steckdose, die, -n 5/11c
Stecker, der, - 5/11c
Stelle (hier: Arbeitsplatz), die,
  -n 1/4b
stellen 4/9
Stellenanzeige, die, -n 1/4b
sterben, stirbt, ist gestorben
  3/4
Steuerberater/in, der/die,
  -/-nen 4/Extra
Stiegenhaus (A), das, "-er
  4/13

still (sitzen) 3/10a
Stimme, die, -n 4/12b
stolz 3/4
streichen, streicht, gestrichen
  4/0
streiken 6/7b
stressig 1/2
Strom, der, * 5/1b
Student/in, der/die, -en/-nen
  Ü1/6
Sumo-Ringer, der, - 7/16b

T

Talent, das, -e 6/19a
Taschengeld, das, * 6/15
Taste, die, -n 5/6
Tauschpartner/in, der/die,
  -/-nen 6/19a
Tauschring, der, -e 6/19b
Teil, das, -e Ü4/13
teilen 2/15b
Text, der, -e 1/5
Tipp, der, -s 1/9
Tischtennis, das, * 7/16a
Titelvorschlag, der, "-e 2/20b
Top 10, die, * 4/Extra
Tor, das, -e 7/18
Torte, die, -n 6/20
totschlagen (die Zeit), schlägt
  tot, totgeschlagen 2/Extra
trainieren 6/14c
Training, das, -s 7/3c
träumen (von) 3/4
treiben (Sport), hat getrieben
  7/2b
Treffen, das, - 6/7b
Treffpunkt, der, -e 2/Extra
Trinken, das, * 4/16
trotzdem 2/3b
Tuch, das, "-er 4/4b
typisch 1/10

U

überprüfen 5/11c
Überschrift, die, -en 1/4a
Überstunde, die, -n 5/2b
überweisen, überweist,
  überwiesen 5/5a
Überweisung, die, -en 5/5
Überweisungsschein (D), der,
  -e 5/0
überziehen, überzieht,
  überzogen 5/2b
Überziehungskredit, der, -e
  5/8
umknicken, knickt um,
  ist umgeknickt 7/10a
umräumen, räumt um,
  umgeräumt 4/4b
umstellen, stellt um,
  umgestellt 4/4b
Umzug, der, "-e 4/13 St. 3
unbedingt 7/3c
unbefristet 1/4b
Unfall, der, "-e 7/10
Unglück, das, -e (Pl. selten)
  2/3b
unkompliziert 6/7b
unterhalten (sich + mit/
  über), unterhält sich,
  hat sich unterhalten 2/6b
Unterhaltung 5/1a
Unterschrift, die, -en Ü4/13
unterstreichen, unterstreicht,
  unterstrichen 1/4b
unterstützen 3/13
unzufrieden 6/10a
Urenkel/in, der/die, -/-nen 3/4

V

Valentinstag, der, -e 6/21a
verabreden (sich + mit)
  2/15b
Verabredung, die, -en 2/Extra
verändern 4/13
Veranstaltung, die, -en 1/22a

verbinden, verbindet,
  verbunden 1/8
verbrauchen 5/11c
verbringen (Zeit), verbringt,
  verbracht 2/2b
*vergehen (die Zeit), vergeht,
  ist vergangen* 2/1
Vergleich, der, -e 5/15b
vergleichen, vergleicht,
  verglichen 6/13
Verlag, der, -e Ü1/2
verlängern 7/Extra
verlaufen, verläuft, ist verlaufen
  6/4b
verletzen (sich) 7/10a
Verletzte, der/die, -n 7/11
verlieben (sich + in) 3/15
verliebt (sein) 3/18
verlieren, verliert, verloren
  7/0
vermeiden, vermeidet,
  vermieden 5/11c
Vermieter/in, der/die, -/-nen
  Ü4/13
vermitteln 3/13
verschieden 1/Extra
verstecken 4/10c
versuchen 7/3c
verteilen Ü6/14
Vertrag, der, "-e 5/2b
verwechseln 1/Extra
Verwendungszweck, der, -e
  5/5b
verwöhnen 5/Extra
Video, das, -s 5/11c
viel, mehr, am meisten
  6/9
Villa, die, -en 5/Extra
Vitamin, das, -e 5/11c
Volksgruppe, die, -n 2/Extra
Volkshochschule, die, -n
  6/10a
Volleyball, der, * 7/1a

*Vollpension, die, * * 4/Extra
Volltreffer, der, - 7/Extra
vorgestern 2/0
Vorhang (A, CH), der, "-e,
  Ü4/8
vorher 6/4c
vorlesen, liest vor, vorgelesen
  6/14b
vorstellen (sich), stellt sich
  vor, hat sich vorgestellt
  6/4b
vorstellen (Uhr), stellt vor,
  vorgestellt 2/6b

W

wachsen, wächst,
  ist gewachsen 2/20a
Wahl (hier: keine Wahl
  haben), die, * 1/4b
Wand, die, "-e 4/1a
Wanne (Kurzf. f. Badewanne),
  die, -n 5/11c
Waschgang, der, "-e 5/11c
wechseln 1/8
wecken 2/3b
weggehen, geht weg,
  ist weggegangen 6/4c
wegwerfen, wirft weg,
  weggeworfen 4/4b
weil 5/2c
weinen 2/3b
Weiterbildung, die, -en 6/4c
weitermachen, macht weiter,
  weitergemacht 6/4c
Weltmeisterschaft, die, -en
  7/Extra
weltweit 4/Extra
wenn 7/7
werfen, wirft, geworfen
  7/15
Wettbewerb, der, -e 7/19

wieder 2/6b
wiegen, wiegt, gewogen
  7/16b
wieso 7/1b
wirken 4/4b
witzig 5/Extra
wohl fühlen (sich), fühlt sich
  wohl, wohl gefühlt 2/6b
Wolke, die, -n Ü7/9
woran 2/17a
worauf 2/17a
Wörterschlange, die, -n 3/19
worüber 2/17a
wunderschön 1/4b
Wunschoma, die, -s 3/13
wütend 2/3b

Z

Zahlungsempfänger/in, der/
  die, -/-nen 5/5b
Zärtlichkeit, die, -en 3/Extra
*Zauber, der, * * 2/11
zeitlos 2/Extra
Zeitumstellung, die, -en 2/6
ziemlich Ü3/11
*Zimmerservice, der, * * 4/Extra
Zins, der, -en 5/2b
*Zuneigung, die, * * 3/Extra
zurückstellen (Uhr), stellt
  zurück, zurückgestellt 2/6b
zurückzahlen, zahlt zurück,
  zurückgezahlt 5/15a
zusammenleben, lebt
  zusammen, zusammen-
  gelebt 5/2c
zuschicken, schickt zu,
  zugeschickt 5/8
zusehen, sieht zu, zugesehen
  Ü7/5
Zwetschgenzweig, der, -e 7/19
zwitschern 7/19

Unregelmäßige Verben

Infinitiv	Präsens	Perfekt
abhängen (von)	etwas hängt ab von	etwas hat abgehangen von
abheben	er hebt ab	er hat abgehoben
abnehmen	sie nimmt ab	sie hat abgenommen
anbieten	er bietet an	er hat angeboten
anfangen	sie fängt an	sie hat angefangen
ankommen	er kommt an	er ist angekommen
anrufen	sie ruft an	sie hat angerufen
auffallen (jemandem)	ihm fällt auf	ihm ist aufgefallen
ausleihen	er leiht aus	er hat ausgeliehen
ausziehen	sie zieht aus	sie ist ausgezogen
backen	er backt	er hat gebacken
beginnen	sie beginnt	sie hat begonnen
bekommen	er bekommt	er hat bekommen
beschreiben	sie beschreibt	sie hat beschrieben
bewerben (sich)	er bewirbt sich	er hat sich beworben
bieten	sie bietet	sie hat geboten
bleiben	er bleibt	er ist geblieben
brechen (sich etw.)	sie bricht sich das Bein	sie hat sich das Bein gebrochen
bringen	er bringt	er hat gebracht
denken	sie denkt	sie hat gedacht
einladen	er lädt ein	er hat eingeladen
einsteigen	sie steigt ein	sie ist eingestiegen
entscheiden (sich + für)	er entscheidet sich für	er hat sich entschieden für
essen	sie isst	sie hat gegessen
fahren	er fährt	er ist gefahren
fallen	sie fällt	sie ist gefallen
finden	er findet	er hat gefunden
fliegen	sie fliegt	sie ist geflogen
geben	er gibt	er hat gegeben
gehen	sie geht	sie ist gegangen
genießen	er genießt	er hat genossen
gewinnen	sie gewinnt	sie hat gewonnen
hängen	er hängt	er hat gehangen
halten	er hält	er hat gehalten
helfen	sie hilft	sie hat geholfen
kennen	er kennt	er hat gekannt
kommen	sie kommt	sie ist gekommen
können	er kann	er hat gekonnt
laufen	sie läuft	sie ist gelaufen
lesen	er liest	er hat gelesen
liegen	er liegt	er hat gelegen (D) er ist gelegen (DSüd, A, CH)
lügen	sie lügt	sie hat gelogen
messen	er misst	er hat gemessen
nehmen	sie nimmt	sie hat genommen
passieren	es passiert	es ist passiert

Infinitiv	Präsens	Perfekt
pendeln	er pendelt	er ist gependelt
pfeifen	sie pfeift	sie hat gepfiffen
riechen	er riecht	er hat gerochen
scheinen	sie scheint	sie hat geschienen
schlafen	er schläft	er hat geschlafen
schließen	sie schließt	sie hat geschlossen
schreiben	sie schreibt	sie hat geschrieben
schreien	er schreit	er hat geschrien
schwimmen	sie schwimmt	sie hat geschwommen
sehen	er sieht	er hat gesehen
sein	sie ist	sie ist gewesen
singen	er singt	er hat gesungen
sitzen	sie sitzt	sie hat gesessen (D)
		sie ist gesessen (DSüd, A, CH)
Sport treiben	er treibt Sport	er hat Sport getrieben
sprechen	sie spricht	sie hat gesprochen
springen	er springt	er ist gesprungen
stattfinden	es findet statt	es hat stattgefunden
stehen	sie steht	sie hat gestanden (D)
		sie ist gestanden (DSüd, A, CH)
sterben	er stirbt	er ist gestorben
streichen	sie streicht	sie hat gestrichen
streiten	er streitet	er hat gestritten
tragen	sie trägt	sie hat getragen
treffen	er trifft	er hat getroffen
trinken	sie trinkt	sie hat getrunken
tun	er tut	er hat getan
überweisen	sie überweist	sie hat überwiesen
überziehen	er überzieht	er hat überzogen
umsteigen	sie steigt um	sie ist umgestiegen
unterhalten (sich)	er unterhält sich	er hat sich unterhalten
verbinden	sie verbindet	sie hat verbunden
verbringen	er verbringt	er hat verbracht
vergessen	sie vergisst	sie hat vergessen
vergleichen	er vergleicht	er hat verglichen
verlieren	sie verliert	sie hat verloren
vermeiden	er vermeidet	er hat vermieden
verstehen	sie versteht	sie hat verstanden
vorlesen	er liest vor	er hat vorgelesen
wachsen	sie wächst	sie ist gewachsen
waschen	er wäscht	er hat gewaschen
werfen	sie wirft	sie hat geworfen
wiegen	er wiegt	er hat gewogen
wissen	sie weiß	sie hat gewusst
ziehen	er zieht	er hat gezogen

Verben mit Präpositionen

mit Akkusativ:

achten	auf	Bitte achten Sie auf die Zeit.
ärgern (sich)	über	Er ärgert sich über die Verspätung.
aufpassen	auf	Pass bitte auf das Baby auf.
denken	an	Ich denke den ganzen Tag an dich.
diskutieren	über	Wir diskutieren immer über das gleiche Thema.
engagieren (sich)	für	Sie engagiert sich für das Projekt.
einigen (sich)	auf	Sie einigen sich auf einen Preis.
erinnern (sich)	an	Erinnerst du dich an deine Kindheit?
freuen (sich)	auf	Lukas freut sich auf seinen Geburtstag.
freuen (sich)	über	Wir freuen uns über die Einladung.
hoffen	auf	Ich hoffe auf deine Hilfe.
interessieren (sich)	für	Ich interessiere mich nicht für Sport.
reagieren	auf	Hast du schon auf das Problem reagiert?
sprechen	über	Wir müssen über das Problem sprechen.
unterhalten (sich)	über	Wir unterhalten uns über die Reise.
verlieben (sich)	in	Sie hat sich gleich in Paul verliebt.
warten	auf	Ich warte schon seit 20 Minuten auf den Bus.

mit Dativ:

abhängen	von	Das hängt von Ihrem Gehalt ab.
träumen	von	Ich träume von einer langen Reise.
fragen	nach	Ich habe nach dem Termin gefragt.
passen	zu	Das Sofa passt nicht zum Tisch.
treffen (sich)	mit	Mit wem triffst du dich am Samstag?
unterhalten (sich)	mit	Ich habe mich mit meinem Onkel unterhalten.
verabreden (sich)	mit	Ich habe mich mit deiner Mutter verabredet.
verstehen (sich)	mit	Ich verstehe mich gut mit ihr.

DEUTSCHLAND, ÖSTERREICH UND DIE SCHWEIZ

1 = Basel-Stadt
2 = Basel-Landschaft
3 = Aargau
4 = Schaffhausen
5 = Thurgau
6 = St. Gallen
7 = Appenzell-Ausserrhoden
8 = Appenzell-Innerrhoden
9 = Unterwalden
10 = Nidwalden
11 = Glarus

LIECHT. = LIECHTENSTEIN

Bildquellenverzeichnis

S. 6: © Fotolia (RF), Manfred Steinbach – S. 8: © Fotolia (RF), Thomas Wagner (c) – S. 12: © CV, Hugo Herold – S. 13: © CV, Claudia Böschel (oben); Nicola Späth (Mitte) – S. 17: © Fotolia (RF), Kzenon – S. 18: © Fotolia (RF), Michael Neuhauß (oben rechts) – S. 19: © CV, Hugo Herold – S. 20: © Fotolia (RF), Katarzyna Leszczynska (oben); © iStockphoto (RF), Chan Pak Kei (unten) – S. 23: © iStockphoto (RF), Sean Warren (Mitte) – S. 25: © iStockphoto (RF), Lee Feldstein (unten links); Elena Korenbaum (unten 2. von rechts); Carmen Martínez (unten rechts) – S. 26: © CV, Hugo Herold (oben); Claudia Böschel (unten a-f) – S. 27: © CV, Claudia Böschel – S. 28: © CV, Claudia Böschel – S. 29: © iStockphoto (RF), MShep2 (b); © Fotolia (RF), Nature Cats (d) – S. 31: © CV, Claudia Böschel (oben); © Fotolia (RF), AVAVA (Mitte) – S. 35: © Fotolia (RF), Majo (unten Mitte); SimonKr (unten rechts) – S. 36: © iStockphoto (RF), Yin Yang (a); © Digitalstock (RF), U. Jacobs (b) – S. 45: © Fotolia (RF), C – S. 46: © Fotolia (RF), Angelika Bentin (a), © Henkel (b); © Fotolia (RF), 2flui (c); © iStockphoto (RF), Paul Prescott (e); © Nokia GmbH (f); © Adpic (RF), H. Eder (g) – S. 47: © iStockphoto (RF), Kris Hanke – S. 48: © Fotolia (RF), Maria.P. – S. 53: © Fotolia (RF), Nikola Bilic (oben links); © Pixelio (RF), Dieter Schürz (Mitte rechts) – S. 55: © Adpic (RF), K. Neudert (Mann mit Hund); © Wikipedia, Gemeinfrei, Georg HH (Die Tafeln); © CV, Hugo Herold (Nachbarn); © iStockphoto (RF), Spauln (Mann Couch); © CV, Hugo Herold (Familie Balkon); © Wikipedia, GNU, Times (Fanmeile); © iStockphoto (RF), Ekaterina (Kindergarten); © Wikipedia, Creative Commons, Carsten Bach (Demo); © CV, Hugo Herold (Mann Balkon); © Wikipedia, GNU, John Doe (Feuerwehr); © Wikipedia, Creative Commons, Herr Stern (Konzert); © Flickr, Creative Commons, Dchmksfkcb (Fußball); © Fotolia (RF), Wojciech Wawrzyn (Mutter Kind); © Wikipedia, Creative Commons, Patrick (Punks); © Wikipedia, Creative Commons, Matěj Bat'ha (Obdachloser Mann); © Fotolia (RF), Thomas Wagner (Vater Kinder); © CV, Nicola Späth (CSD); © Flickr, Creative Commons, CarolienC (Picknick) (im Uhrzeigersinn) – S. 58: © Fotolia (RF), CURAphotography (a); © iStockphoto (RF), Michael Blackburn (b); © CV, Claudia Böschel (c) – S. 59: © CV, Claudia Böschel – S. 60: © © iStockphoto (RF), Carmen Martínez (rechts) – S. 61: © CV, Hugo Herold (Mitte) – S. 65: © Wikipedia, Creative Commons/GNU, Ralf Roletschek (unten rechts) – S. 66: © iStockphoto, ShaneKato (a); © Fotolia (RF), Moonrun (b); © Wikipedia, GNU, Woodpusher (c); © Fotolia (RF), Xaver Klaußner (e); Sebastar (f); © iStockphoto (RF), Monique Rodriguez (g); Craftvision (h) – S. 69: © CV, Hugo Herold – S. 70: © CV, Hugo Herold (Mitte) – S. 71: © Wikipedia, GNU, Bibi Saint-Pol (Mitte); © Shutterstock (RF), J. Henning Buchholz (rechts) – S. 72: © CV, Hugo Herold – S. 73: © iStockphoto (RF), Poco_Bw (unten) – S. 75: © iStockphoto (RF), Diego Cervo (oben links); © Flickr, Creative Commons, Gravitat-on (oben rechts); © iStockphoto (RF), Radu Razvan (Mitte links); Sean Locke (unten) – S. 76: © Fotolia (RF), PictureArt (Mitte rechts oben); Lana Langlois (Mitte links oben); Amir Kaljikovic (Mitte rechts); Uschi Hering (Mitte links); artivista Werbeatelier (Mitte rechts unten) – S. 77: © Fotolia (RF), Ataly – S. 82: © Fotolia (RF), Argentum – S. 83: © Wikipedia, GNU, Madca7 – S. 88: © CV, Claudia Böschel – S. 90: © CV, Andrea Finster – S. 92: © CV, Claudia Böschel – S. 98: © Fotolia (RF), Maria.P. –

S. 100: © Fotolia (RF), artivista Werbeatelier (oben links); © Wikipedia, S 400 Hybrid (oben 2. von links); GNU, Dee-Lite (oben 2. von rechts); GNU, Vladsinger (oben rechts); © CV, Hugo Herold (unten) – S. 106: © iStockphoto (RF), Galina Barskaya (oben links); © Fotolia (RF), Bernd Leitner (oben rechts); © Flickr, Creative Commons, Artie* (unten) – S. 108: © Wikipedia, Gemeinfrei, Oren Jack Turner (A. Einstein) – S. 113: © Shutterstock (RF), Redphotographer (oben rechts); © iStockphoto (RF), Neustockimages (oben links); © Digitalstock (RF), Housewife (Mitte rechts); © iStockphoto (RF), Kemter (Mitte links) – S. 116: © Wikipedia, GNU, Peter Gerstbach (oben links); Creative Commons, GNU, Raimond Spekking (oben rechts); GNU, Mbdortmund (Mitte links); GNU, Sailko (Mitte rechts); Gemeinfrei, Lukas Gerhold (unten links); Creative Commons, Stephan Czuratis (unten rechts) – S. 127: © CV, Hugo Herold – S. 128: © Fotolia (RF), Sven Hoffmann – S. 129: © CV, Hugo Herold – S. 132: © iStockphoto (RF), Carmen Martínez

S. 6: © Getty Images – S. 18: © Mauritius Images, Torsten Krüger (oben links) – S. 29: © Picture Alliance, Tass (a); © Ullsteinbild, Kühn (c) – S. 33: © Picture Alliance, dpa-Zentralbild/Claudia Esch-Kenkel (Mitte) – S. 35: © Getty Images, John Eder (oben) – S. 43: © Ullsteinbild, Sipa – S. 49: © Ullsteinbild, Chromorange – S. 60: © Ullsteinbild, CARO/Trappe (links); JOKER/Gerard (2. von links) – S. 63: © Ullsteinbild, Leber (oben) – S. 65: © Ullsteinbild, Sven Simon (oben links); © Picture Alliance, dpa/Rainer Jensen (oben rechts); © Ullsteinbild, Contrast/Streubel (Mitte); Camera 4 Fotoagentur (unten links) – S. 67: © Marathonphoto – S. 70: © Picture Alliance, Anke Fleig/Sven Simon (oben) – S. 71: © Picture Alliance, Mika/Mika Volkmann (oben links) – S. 73: © Picture Alliance, Sven Simon (oben links) – S. 75: © Mauritius Images, Photolibrary (Mitte rechts) – S. 108: © Picture Alliance (M. Monroe); Ronald Grant Archive/Mary Evan (E. Presley); London_Express/dpa (A. Schwarzenegger); dpa/Armin Weigel (The Beatles); dpa/Hubert Boesl (B. Gates) – S. 130: © Ullsteinbild, Sven Simon – S. 133: © Picture Alliance, dpa/Rainer Jensen

Mit freundlicher Genehmigung von:
S. 13: © Gallup GmbH (unten) – S. 23: © Thomas Pordzik (oben); © PTB (unten) – S. 25: © Özge Celik, First Steps, Deutsche Zeitungslesewettbewerb „Blende", www.prophoto-online.de (oben); © Kampfer (unten 2. von links) – S. 30: © Großelterndienst – S. 56: © Miniaturwunderland Hamburg GmbH (links oben, rechts oben, Mitte links); © Modellbundesbahn, Stephan Rieche (Mitte rechts, unten) – S. 60: © Bundesverband Deutsche Tafel e. V., Wolfgang Borrs (2. von rechts) – S. 61: © Amper Tauschring Karlsfeld Dachau (unten) – S. 63: © Sozialhelden.de (Mitte)

Umschlagfotos: © CV, Hugo Herold

Textrechte:
S. 13: © Süddeutsche Zeitung Magazin, Nummer 30, 24.07.2009 – S. 33: © Süddeutsche Zeitung Magazin, Nummer 30, 24.07.2009 – S. 53: © Musik: Peter Plate, Text: Peter Plate/AnNa Err, Verlag Edition Peter Plate/ Wintrup Musik – S. 73: © Süddeutsche Zeitung Magazin, Nummer 30, 24.07.2009

Inhalt Lerner-CD – Hörtexte für die Übungen

Nr.	Übung zu	Titel	Seite	Laufzeit
1		Rechtsbelehrung		0:45
		1 Flexibel und mobil		
2	3–2)	Prüfungstraining	76	0:55
3	6–3)	*Ich fahre ...*	77	1:05
4	16	Was sagt die Chefin?	79	0:35
5	18	Max erzählt	80	0:40
		2 Wie die Zeit vergeht		
6	2–3)	Verabredungen	82	0:55
7	8	Reflexivpronomen	84	1:05
8	11–2)	Zungenbrecher	85	0:15
9	12	*s* und *z*	85	0:35
10	15–1)	Herr Mecker meckert	85	0:30
		3 Generationen		
11	4–1)	Jedes dritte Wort fehlt	88	1:00
12	10–2)	Ausreden	90	0:25
13	10–3)	Sprachschatten	90	1:15
14	15–1)	Eine Radiosendung	92	0:45
15	18	Silben im Satz	92	0:20
		4 Mein Zuhause		
16	8	Eine schnelle Katze	94	1:00
17	12	Ein *s* oder *ß*?	95	0:15
18	13–3)	Der Umzug	97	1:00
19	13–4)	Karaoke: eine Umzugsfirma anrufen	98	1:15
		5 Rund ums Geld		
20	1–1)	Ich und das Geld	100	0:45
21	8	Karaoke: bei der Bank	102	1:05
22	13	*Kennst du ...?*	104	1:00
23	14	Welches Wort hören Sie?	104	0:30
		6 Miteinander leben		
24	4–1)	In der neuen Heimat	107	1:30
25	17	*Zeigst du mir ...?*	110	1:00
26	18–1)	*I, ie* oder *ih*?	110	0:35
27	18–2)	*Ei* oder *ie*?	110	0:25
		7 Sport		
28	2–1)	Fragendiktat	112	2:05
29	2–2)	Antworten geben	112	0:40
30	6	Bundesligaergebnisse	114	0:35
31	14–2)	Arme Sofie!	115	0:30
32	16–1)	*Wetten, dass ...*	116	1:00
33	16–2)	Noch mehr Wetten	116	0:50
34	18	Satzzeichen hören	116	0:35